남미에 간 이유를

아무도 묻지 않았다

남미에 간 이유를 아무도 묻지 않았다

김지현 지음

목차

Prologue

여행의 의미

여행을 되돌아본다는 것은…

"이제야 남미 배낭 여행기를 쓰는 게
나에게 무슨 의미가 있을까?"

이 질문에 대한 답을 내리지 못한 채 10년이 지났고, 여행의 기억은 나에게서 점차 흐려졌다. 여행에서 돌아온 뒤 1년 동안은 매일 같이 들뜬 마음으로 남미에서 썼던 글과 사진을 꺼내 보았고, 사람들을 만날 때마다 신나게 남미에서 있었던 이야기를 들려주었다. 그만큼 남미 여행은 나에게 큰 기쁨이자 자부심이었다.

어느 날 우연히 책장을 정리하다 남미 여행 노트를 발견했다. 노트의 첫 장에는 준비물 목록이 쓰여있었다. 돈을 아껴야 한다는 압박감으로 지마켓에서 낮은 가격순으로 정렬하여 가장 저렴한 물건으로 산 기억이 난다. 싼 게 비지떡이라고 여행 도중에 물건 대부분을 다시 사야만 했다(트레킹하다 배낭이 끊어진 슬픈 기억이…).

그리고 옆 페이지에는 '도전', '모험', '발견'이라는 단어가 눈에 들어왔다. '이런 단어를 마지막으로 쓴 게 언제였더라?' 잠시 생각에 잠겼다. 물론 직업을 가지기 위해 시험에 도전하기는 했지만, 전혀 다른 단어처럼 느껴진다.

노트를 더 읽어 내려가다 차마 끝까지 읽지 못하고 덮어버렸다. 마치 남의 일기를 훔쳐보는 듯한 낯선 기분. 사람들은 내가 남미 배낭여행을 다녀온 걸 알게 되면 무척이나 놀라고 신기해한다. 이러한 사람들의 반응은 여행을 다녀온 초반까지만 해도 어깨를 으쓱하게 했으나, 지금은 베낀 숙제를 칭찬받는 것처럼 한없이 움츠러들게 만든다. 그런 뒤에는 알 수 없는 서러움이 밀려온다.

여행이 끝나고 한국으로 돌아와서도 남미 여행이 삶의 한가운데 중요하게 자리 잡길 바랐다. 어떻게 하면 고이 잘 보관할 수 있을지 한참을 고민했다. 이 여행이 쉽게 잊히는 과거의 수많은 기억 중 하나가 되지 않길 원했고, 또 그렇게 되지 않는다는 걸 증명하고 싶었다.

그런 결의가 오히려 부담으로 다가왔을까? 지금은 여행과 관련된 물건만 봐도 숨이 턱 막히는 지경에 이르렀다. '어휴 얼른 이걸 정리해야 할 텐데….'(라고 말하면서도 슬금슬금 피해버리고 만다)

앞으로 해야 할 일들을 나열하면서, 또 아직은 실력이 부족하다는 핑계로 이 여행을 정리하는 것을 미뤄왔다. 그 대신 사회 속에 무사히 안착하기 위해 노력하는 바쁜 날들을 보냈다. 언젠가 글을 쓰고 그림을 그릴 수 있는 안정과 여유가 생길 때, 나의 여행을 멋지게 기록할 거라 다짐했다.

하지만 이렇게 직장인이 되어서도 무슨 이유인지 쉽게 나아가지 못하고 또다시 머뭇거리게 되었고 그런 기간이 길어지면서 여행을 되새기는 것보다 눈앞에 놓인 일들을 해내는 게 무엇보다 더 중요하게 느껴졌다. 지금 당장 하지 않으면 큰일이라도 날 것처럼 스스로를 재촉하면서 열심히 달렸다. 이게 나를 위한 길이며, 당연히 해야 하는 것이라 믿었기에 힘든 줄도 모르고 하루하루를 보냈다.

아슬아슬한 고가도로를 달리는 나날을 보내고 있을 무렵이었다. 쌩- 쌩- 타이어에 불붙은 듯 달리던 자동차가 어느 지점에 와서 브레이크가 걸린 것처럼 더 이상 앞으로 나아가지 못하고 삐걱거리기 시작했다. 무슨 일을 해도 어수선하고 안절부절못했으며, 명확하게 정의 내릴 수 없는 감정에 괴로웠다. 내 안에서 들리는, 더는 외면할 수 없는 커다란 울림.

"결국 이 여행을 정리하지 못하면 앞으로 나아갈 수 없어."

사실 마주할 용기가 없었다. 남미 여행 노트와 사진을 보았을 때의 낯선 기분은 '아픔'이었다. 더 이상 그때의 나로 살아갈 수 없다는 것. 그리고 꿈, 희망, 자유, 방황과 같은 단어들과는 전혀 어울리지 않는 사람이 되어버린 것. 마지막으로 생명력과 같은 활기 넘치는 젊음의 에너지가 사라져 가는 것 모두. 무엇보다도 그때의 내가 수없이 마음속으로 새긴 결심을 전혀 지키지 못하며 살아가고 있었다. 지금 와서는 그 결심이 무엇인지도 희미해졌으며, 지켜야 할 것과 그럴 필요 없는 것조차 명확히 구분하지 못하고 영혼의 한

부분이 빠져나간 것처럼 정신없는 나날을 보낼 뿐이다.

이 여행의 기억이 소화되지 않은 채 얹혀버린 건 삶에서 그저 흘려보내면 안 되는, 혹은 흘려보내고 싶지 않은 무언가가 그 안에 있어서가 아닐까? 이런 생각이 들자 그게 무엇인지 들여다보고 싶기도 하고, 외면하고 싶기도 하다.

결국엔 회한만 가득한 어른이 된 내 모습을 마주하게 될까 봐 겁이 난다. 지금의 삶과 전혀 섞일 수 없는 알갱이들을 애써 잡으려 해도 손가락 사이로 흘러버릴 것만 같으니까. 하지만 과거로 돌아가기 위해서가 아니라 앞으로 나아가기 위해서 용기를 낼 수밖에 없지 않은가. 어쨌든 '나'로서 현재를 살아가야 하니까.

이번에는 절대 중간에 멈추지 않겠다고 다짐하며 남미 여행 노트를 펼쳤다. 노트에는 생각보다 세세하게 그때의 크고 작은 일들이 기록되어 있어 한 줄 한 줄 읽으면서 당시의 기억을 꽤 선명히 떠올릴 수 있었다.

동시에 내가 느꼈던 설렘, 두려움, 걱정, 기쁨과 슬픔과 같은 감정 역시 그대로 수면 위로 떠올랐다. 그리고 그 안에는 마치 내가 다시 찾아올 거라는 걸 알고 있었다는 듯이 20대의 고민 많은 나와 반가운 친구들이 두 팔을 활짝 벌리며 맞이해 주었다.

남미에 간 이유를 아무도 묻지 않았다

청춘이라는 이유만으로

우연히 나의 여행에 관해 이야기할 기회가 생기면 어김없이 반짝이는 눈빛을 마주하게 된다. '남미'라는 단어에는 '위험하다'라는 부정적인 인식이 깔려있지만, 그 덕에 '배낭여행'이 뒤에 따라올 땐 '모험심'이라는 영광스러운 훈장을 준다. 남미 배낭여행은 많은 이의 호기심을 자극할 만하다.

남미는 아프리카와 함께 가장 위험한 여행지로 알려져 사람들에게 쉽게 선택받지 못하는 곳이다. 여행을 떠난 2013년에는 인터넷에 남미 배낭여행 후기가 그리 많지 않았다. 특히 20대 여성이 혼자 배낭여행을 가는 케이스는 더욱이 찾기 힘들어 이대로 떠나도 되는지 진지하게 고민해 봐야 했다. 그런 곳을 첫 배낭여행으로 갔으니 이런 반응을 보이는 건 어쩌면 당연한지도 모른다.

놀라는 반응 속에는 남미라는 흔치 않은 여행지에 대한 호기심도 있겠지만 '나'라는 사람에 대한 재평가가 이루어지는 듯하다. '정말 의외인걸?'이라는 표정에 조금은 머쓱해지긴 하나 나 역시 그 반응에 전혀 공감하지 못하는 건 아니다. 거울 속에 나를 이리 보고 저리 봐도 남미와는 영 어울리지 않는다.

남미 배낭여행과 꼭 들어맞는 스테레오 타입의 사람이 있는 건 아니지만 여행에서 만났던 사람들 그리고 그때의 내 모습이 담긴 사진을 가만히 들여다보자면 지금의 나는 분명 다른 사람이다. 그러니 그런 반응에 수긍할 수밖에 없다. 물론 순순히 인정하는 건 아니지만.

뒤이어서는 언제나 "대단하다!", "멋진데?", "용감해!" 하며 어깨를 으쓱하게 만들어 주는 찬사가 따른다. 쿨한 척해도 올라가는 입꼬리는 어쩔 수 없다. 그리곤 남미 여행에 대해 이것저것 궁금한 것들을 물어보는데, 주로 "어디가 가장 좋았어?", "위험한 일은 없었어?", "숙소는 어떻게 정했어?", "경비는 어느 정도 들었는데?" 등등을 물어본다. 하지만 이제는 그 누구도 "도대체 왜 남미까지 간 거야?"라며 여행의 이유를 묻지 않는다.

배낭여행은 그 자체로 '청춘'이라는 상징적인 의미를 지니기 때문에 "젊을 때라면 그럴만하지"하는 관대한 시선이 존재한다. 젊은이라면 자유롭게 떠날 수 있는 특권이 있다고 미소를 보이며 기꺼이 인정해 주는 것이다.

아이러니하게도 당시에는 그러한 호의적인 태도를 전혀 경험하지 못했다. 여행을 떠나기 전 만나는 사람마다 나에게 남미에 가는 이유를 묻곤 했다. "굳이 큰돈을 들여서 그렇게 위험한 곳에 간다고?", "우선 졸업하고 취업부터 하는 게 낫지 않을까?", "지금 해야 할 일들을 미룰 만큼 중요한 거야?" 이런 이야기를 들을 때마다 가슴 한구석이 예리한 바늘에 찔리는 듯했다.

그건 나 역시 수없이 스스로 했던 질문이었고 늘 적절한 답을 하지 못했으니까. 그런 살얼음과 같은 마음은 꼭꼭 감춘 채 "지금이 아니면 또 언제 이렇게 오래 여행할 수 있겠어?"라며 태연한 척 맞받아쳤다. 이미 내 마음속에 자라난 불안이 한없이 부풀어진 걸 애써 외면한 채.

여행을 떠나고 나서는 '모든 것에서 자유로워졌다'고 말할 수 있었다면 좋았겠지만, 여행하는 내내 이러한 불안감에서 완전히 벗어나지 못했다. 아무리 책장 뒤에서 '시간이 지나면 아무것도 아니야! 지금을 즐겨야 해! 카르페 디엠!!'이라고 소리쳐봤자 전혀 들리지 않는 거다. 그저 배낭을 짊어지고 묵묵히 앞으로 나아가는 걸 지켜볼 수밖에 없다.

지금은 그 고통과 전혀 무관한 사람처럼 "그땐 그랬었지"라고 무심히 말하곤 한다(그럴 때마다 적잖이 놀란다). 결국, 나 역시 그런 어른이 되어버린 거다. 뜨거운 열정의 불씨가 모조리 타버려 새까만 재밖에 남아 있지 않은 사람 말이다. 그렇다고 해서 "여러분, 두려움을 이겨내고 당장 떠나세요!"라고 내뱉으며 무책임하게 부채질하고 싶지는 않다.

그러나 이것만은 분명히 말할 수 있다. 나의 여행 속에는 이유 따위는 설명할 필요 없는 그 자체로 소중한 것들로 가득 차 있다. 두 눈에 가득 담았던 눈부시게 아름다운 광경과 다정했던 사람들, 힘차고 씩씩하게 걸어 나가는 두 다리, 그리고 남미 여행과 꼭 어울리는 꾸밈없는 내 모습을 지금도 너무나 그리워하고 사랑한다.

여행의 시작

이야기 속 주인공처럼

1

흔히 이야기 속 먼 길을 떠나는 주인공에게는 그럴 만한 이유가 있다. 아무 이유 없이 익숙하고 편안한 사람들과 안락한 보금자리를 두고 험난한 길을 떠나는 주인공은 없다. 독자는 주인공이 겪게 될 시련과 고생 끝에 그가 간절히 바랐던 것을 찾게 되는 엔딩을 기대한다. 그가 얻게 되는 것은 분명 그 힘든 과정을 모두 상쇄시키고도 남을 만큼 가치 있는 것일 테니까.

그 시절, 이야기 속 주인공처럼 어디론가 멀리 떠나고 싶었다. 무엇을 하고 싶은지, 무엇이 되고 싶은지 또 앞으로 어떻게 살아가야 할지 도무지 알 수 없었다. 내 안에서 가득 넘치는 수많은 질문에 대한 답을 내리지 못하고 미루는 삶에 지쳐있었고, 그러한 자신에게도 질려버렸다. 그러나 나 역시 떠나기만 한다면 그들처럼 어떤 답을 찾을 수 있을 거라는 희망을 놓지 않았다. 평범하고도 초조한 날들의 연속이었다.

대학을 졸업하지 못하고 변변한 기술도 없는 내가 고향에서 할 수 있는 건 아르바이트뿐이었다. 내가 일한 샌드위치 가게는 조선소와 가까이 자리 잡고 있어 여러 나라에서 일하러 온 외국인 손님이 주를 이루었다. 점심시간이 되면 작은 봉고차에서 우르르 내려와 "Hi!", "Hello." 친근하게 인사하며 자리를 꽉 채웠다.

카운터를 보다가 샌드위치와 음료가 나오면 서빙하며 이리저리 바쁘게 움직였다. 어릴 적부터 해외 생활에 로망이 있던 터라 외국인에게 둘러싸여 일하는 것이 마냥 신났다. 특별한 것 없는 작은 가게였으나 영어를 쓴다는 것만으로 나의 소박한 꿈을 실현해 주었다.

2

바네사를 만난 건 초겨울이었다.

막 출근하여 가게 안으로 들어서니 눈앞에 코를 훌쩍이는 체구가 작은 외국인이 앉아 있었다. 나에게도 무척 쌀쌀하게 느껴진 공기라 브라질에서 온 그녀는 더욱 견디기 힘들었을 거다. 사장님이 아무래도 감기약을 먹는 게 좋을 것 같다고 하여, 곧장 왔던 길을 되돌아가 약을 사다 주었다. 바네사는 어설픈 한국어로 연신 "감사합니다."라고 말했다.

그로부터 얼마 지나지 않아 바네사와 나는 친한 손님과 점원 사이에서 깊은 속 이야기까지 하는 친구 사이로 발전했다. 지금 생각해보면 영어 실력이 그리 좋지 않았음에도 서로 마음을 나눌 수 있는 교류를 했다는 게 신기하다. 우리 사이엔 설명할 수 없는 무언가가 있었다.

가족이나 친구에게는 말하지 못했던 꿈을 바네사에게는 거리낌 없이 말할 수 있었다. "외국에 나가서 이곳저곳 여행을 하고, 공부하면서 다양한 경험을 해보고 싶어!"라고 그녀를 만날 때마다 한 번도 빼놓지 않고 이야기했다. 마음속 깊숙한 곳에 고여있던 것이 봇물 터지듯 흘러나왔다. 바네사는 언제나 따뜻한 미소를 지으며 고개를 끄덕여 주었다. 그 응원 어린 눈길에 힘입어 나는 스스로에 대한 수많은 의심을 뒤로한 채, 확신에 차 신나게 재잘거렸다. 마치 정해진 미래를 이야기하는 유능한 예언가처럼.

그런 꿈같은 날들은 바네사의 근무 기간이 끝나 브라질로 다시 돌아가게 되면서 물거품처럼 막을 내렸다. 그녀가 떠난 후 한동안 가슴이 뻥 뚫린 듯한 커다란 공허함을 느꼈다. 바네사가 그리운 것인지 희망이 가득했던 시간이 그리운 건지 잘 모르겠다. 그러나 곧 그녀의 부재에 적응할 수밖에 없었다. 바네사에게 늘 이야기했던 꿈을 허공에 주술처럼 되뇌었다. 환상과 현실을 오가는 날들이 계속되었다.

미래에 대한 낙관과 실제로는 아무것도 가진 것이 없는 처지에 대한 비관 사이를 가파르게 오갔다. 꿈에 대해서는 현실적인 장벽 따윈 무시한 채 제멋대로 이야기할 순 있었으나, 아이러니하게도 지금 나에 대해선 어떤 것도 확신할 수 없었다. 혼란스러운 마음 한구석에서 어떤 생각이 꿈틀거리기 시작했다.

이야기 속 주인공처럼 인생의 답을 이곳이 아닌 다른 곳에서 찾을 수 있을 거라는 믿음이 단단한 땅을 뚫고 서서히 자라났다. 사실 다른 곳에서 찾는다는 확신까지는 없었다. 단지 이곳은 아니라는 생각이 지워지지 않았을 뿐이다. 그리고 그 답은 오로지 나의 힘으로 찾고 싶었다.

손님 무리가 한차례 휩쓸고 간 한가로운 오후. 계산대에 앉아 멍하니 창밖을 바라보고 있을 때였다. 불현듯 2년 전 자주 방문한 인터넷 카페에서 본 '브라질의 사막 jpg' 게시물이 떠올랐다.

이 사막은 하얀 모래에 군데군데 투명한 호수가 있는 신비로운 곳이다. 이 세상에 존재한다는 것이 믿기지 않을 정도로 비현실적인 경관은 전율이 올 정도로 마음 깊숙이 각인되었다. '내가 죽기 전에 이런 곳에 갈 수나 있을까?'라고 선망 어린 눈으로 바라만 봤던 곳. 오랜만에 스크랩해 뒀던 글을 클릭해 보니 사막은 여전히 현실이라 믿기지 않을 정도로 아름다웠다. 상상 속의 나는 저 사막 한가운데를 유유히 걸으며, 발바닥으로 따스한 모래의 온기를 느낀다.

브라질의 사막을 떠올린 이후 '이곳에 꼭 가야 한다'라는 생각이 머릿속에서 계속 맴돌았다. 하지만 지구 반대편에 있는 남미를 '브라질 사막' 단 하나만 보기 위해 가는 것은 무척 부담스러운 일이다. 함께 갈만한 다른 여행지는 또 없을까 하는 마음에 처음으로 '남미'라는 대륙을 검색해 보았다. 당시 나는 남미라고 하면 '삼바' 밖에 모를 정도로 무지했다.

'남미'를 타이핑하고 엔터를 누르니 우유니 소금사막, 로라이마, 마추픽추, 이스터섬, 갈라파고스, 아마존 등 매력적인 명소가 한가득 나왔다. 너무나도 환상적인 사진을 보며 반짝이는 기대로 마음이 부풀어 올랐다.

'이곳에 갈 수 있다면!'

부풀어 오른 가슴을 겨우 진정시키고 곰곰이 생각해 보니, 무작정 남미에서 배낭여행을 시작하기보다는 우선 어학연수로 스페인어를 몇 개월 공부하다가 여행하는 게 현실적이라 생각되었다. 남미 대부분의 나라가 스페인어를 사용하기 때문에 언어를 알면 혼자 여행하는 데 큰 도움이 될 테니까. 그리고 수개월 동안 배낭여행을 하는 건 위험 요소가 크다는 생각이 마음 한구석에 있었다. 배낭여행 난이도 최상급이라 알려진 남미를 긴 시간 동안 혼자 여행할 자신도 없었을뿐더러 한국에 다시 돌아왔을 때 새로운 언어 하나쯤은 알고 있는 게 취업 등 여러모로 유용할 것 같았다.

남미에 갈 수 있었던 것은 이곳의 매력에 푹 빠진 것도 있지만 무엇보다 바네사가 있었기에 가능했다. 그녀가 한국을 떠난 이후로도 우리는 계속 메일을 주고받았는데, 남미에 가고자 마음을 먹자마자 곧장 바네사에게 이 사실을 알렸다.

'낯선 세상에서 다양한 경험을 하며 새로운 언어를 배우고 싶고, 브라질에서 공부하며 주변을 여행하다가 한 달 정도 남미 배낭여행을 하고 싶다'는 내용을 담았다. 어째서인지 그녀가 나에게 도움을 줄 것이란 확신이 있었다. 지금 생각하면 아주 황당하지만.

얼마 지나지 않아 바네사에게 답장이 왔다. 그녀는 나에게 열린 마음이 있다면 이곳에서 특별한 경험을 하게 될 것이라고 응원해 주며, 자신의 집에 머물 수 있도록 기꺼이 허락해 주었다. 그리고 스페인어 학원을 함께 알아봐 주며, 자신도 스페인어를 할 수 있으니 궁금한 게 있으면 언제든 가르쳐줄 수 있다고도 덧붙였다.

당시에도 바네사에게 큰 고마움을 느꼈지만 한 해, 한 해 나이가 들수록 그녀에게 얼마나 큰 은혜를 입었는지 뼛속 깊숙이 느끼게 된다. 어째서 그녀는 대가 없이 그 어려운 부탁을 들어 주었는지, 또 나는 어떻게 그녀가 그 부탁을 들어 줄 것이라고 확신했는지 모르겠다. 어떤 마음으로 나를 자신의 집에 머물도록 허락해 주었을까? 도저히 설명할 수 없는 일이다.

3

주인공 옆에는 늘 조력자들이 있듯이 여행하면서 많은 사람의 아낌없는 친절을 받았다. 나를 지켜주는 듯한 그들의 호의에 보답하는 마음으로 여행을 한 건지도 모를 만큼 한 사람, 한 사람 모두 소중하다. 그중에서도 바네사에 대한 마음은 더욱 특별하다. 바네사가 없었더라면 이 여행을 시작조차 하지 못했을 테니까.

그녀에 대한 신뢰를 바탕으로 여행에서 만난 낯선 이에게 두려움 없이 다가갈 수 있었고, 그들이 손을 내밀 때 의심하지 않고 잡을 수 있었다. 나의 여행은 외롭지 않았다.

도망가고 싶다는 생각이 들 때

견딘다는 것

잠이 덜 깬 비몽사몽인 눈으로 모니터를 확인했을 때 비행기는 어느새 태평양 한가운데 떠 있었다. '어쩌다 이렇게 먼 길을 떠나게 되었을까?' 멍하니 창밖을 바라보다 다시 스르르 잠이 들었다. 비행기 안에서 수십 번도 더 한 질문. 늘 그렇듯 답을 내리지 못했다. 이제 막연함도 만성이 되어 익숙하다. 나는 애써 답하지 않기로 했다. 창밖은 시야를 가릴 정도로 새하얀 구름이 가득 메워져 있다.

새벽 일찍 버스터미널까지 배웅해 준 아빠와 포옹할 때도, 공항에서 비행기 시간을 함께 기다려 준 친구와 마지막 인사를 할 때도, 씩씩하게 웃어 보이며 힘찬 발걸음을 내디뎠으나, 그들이 사라지고 혼자 공항에 남았을 때 어쩐지 푹 가라앉는 기분이었다. 기대감으로 한껏 부풀었던 가슴도 맥없이 꺼져버렸다. 또다시 나의 고질병이 돋은 것이다.

남미 여행을 떠나기 몇 년 전 이탈리아 여행을 준비했던 적이 있었다. 인터넷에서 본 이태리 남부의 아름다운 절벽 마을 포지타노와 에메랄드빛 아말피 해변에 한눈에 반해 버렸다. 밤이 되면 집집이 밝혀지는 노란 불빛은 마치 낭만적인 영화 속 한 장면 같았다. 곧장 이탈리아 전문 여행 서적을 사고, 후기가 좋은 숙소를 얼른 찾아내 호스트와 메일도 주고받고, 비행기표 예약까지 일사천리로 마쳤다. 주위 친구들이 하나둘씩 해외여행을 가기 시작할 때라 마음이 더 급하기도 했다.

그러나 출국 날짜가 점점 다가올수록 내가 벌인 일에 덜컥 겁이 나기 시작했다. '도대체 어쩌자고 혼자 여행을 갈 생각을 한 걸까?' 정신이 번쩍 들었다. 얼른 일을 수습하기 위해 나의 재정 상황과 영어 실력 그리고 학업 문제 등을 앞세우며 여행을 취소하는 게 가장 합리적이라는 결론을 도출해 냈다.

그 이후로는 모든 것이 발 빠르게 진행되었다. 호스트에게는 '어쩔 수 없는 사정'으로 여행을 취소하게 되어 '정말 아쉽다'라는 메일을 보냈다. 이때는 비행기표를 취소했을 때보다 더 비참했다. 결국 도망쳤다는 사실을 인정할 수밖에 없었다.

출국 예정이었던 날은 하늘이 구멍 난 듯 비가 쏟아져 내렸다. 어쩌면 비행기가 뜨지 못했을 수도 있다고 생각하며 이불속으로 더욱 푹 파고들었다.

나조차 이해하기 어렵지만, 이탈리아 여행을 취소하고 나서도 여느 때와 다름없이 발걸음은 도서관으로 향했다. 여전히 여행이나 모험과 관련된 책이라면 어떤 종류도 가리지 않고 읽었다. 내 마음은 주인공이 방황하고 시련을 겪지만 결국 이뤄내고야 마는 이야기에 늘 끌렸다. 그토록 간절히 원하면서도 왜 눈앞에서 포기할 수밖에 없었을까.

어쩌면 자신을 책 속의 주인공과는 거리가 먼, 그저 그런 존재라고 여겼기 때문인지도 모른다(차마 입 밖으로 꺼내진 않았지만). 결국 여행을 떠나는 건 나에게 과분한 일일지도 모른다고 여기게 되는 거지. 만약 가볍게 휴양이나 관광을 하러 간다고 생각했다면 이렇게까지 복잡하고 어렵지는 않았을 거다. 그 이후로 몇 년간은 홀로 플랫폼에 서서 오지 않는 열차를 기다리는 기분 속에서 살았다.

'나는 간절하지 않아', '나는 준비가 되지 않았어'라는 생각이 스멀스멀 올라오는 순간 뭐든지 버리고 도망쳐 버렸다. 항상 저울질했다. 어떤 선택에 있어 손해를 피하는 것과 새로운 가능성 사이에서 쉽게 전자를 선택한다. 과거에도 지금도 얼마나 간절해야 행할 수 있으며, 무엇이 준비되어야 나아갈 수 있는지 확신하기 어렵다. 그에 대한 답은 쉽게 속일 수 있으니까. 결국 현실에 맞설 힘이 부족하고 선택에 책임을 지기 두려울 뿐이었다.

만약 이번에도 도망간다면 영원히 이런 선택만 하는 사람이 될 것 같았다. 이전과 크게 달라지지 않은 영어 실력이었고, 물론 혼자 국내 여행조차 한 적 없었고, 모은 돈을 탈탈 털어야 했지만, 남미로 떠나기로 했다.

그 커다란 두려움을 뒤로하고 남미 여행을 떠날 수 있었던 건 마침내 어떤 확신이 생겨서가 아니다. 그저 도망가고 싶은 자신을 견뎠을 뿐이다. 오래전부터 꿈꿔왔던 여행을 시시하게 만들지도 모른다는 불안감, 처음부터 끝까지 홀로 긴 과정을 짊어질 수 있을까 하는 의심, 그리고 이렇게 생각할 수밖에 없는 나약한 자신을 견뎌냈기 때문이다. 나에게 용기란 외부의 어떤 것에 맞서는 게 아니라 그저 내 존재를 견디는 게 아닐까.

예약한 항공편은 인천에서 밴쿠버 그리고 토론토를 거쳐 마지막 종착지인 상파울루에 도착하는 루트이다. 남미는 지구 반대편이니 비행시간은 무려 24시간, 두 지역을 환승하고 통과하는 시간은 14시간으로 총 38시간이 걸린다. 며칠 전부터 마음을 단단히 먹었으나 예상보다 훨씬 진이 빠져버렸다. 공항에서 다음 비행기를 기다리는 동안 사람들이 이동하는 모습을 가만히 지켜봤다. 모두가 이쪽에서 저쪽으로 또 저쪽에서 이쪽으로 바쁘게 움직인다. 목적지가 정해진 사람들의 발걸음은 거침없다. 이들은 무엇을 위해 먼 길을 떠나는 걸까?

가장 힘들었던 건 밴쿠버와 토론토를 환승할 때였다. 비행기에서 내리자마자 보이는 커다란 공항과 수많은 외국인에 압도당했다. 수많은 인파가 뒤섞여 정신이 혼미해질 지경이었다. 분명 인터넷에서 본 글에는 표지판만 잘 따라가면 된다고 했는데 아무 소용이 없었다. 표지판을 봐도 어느 쪽으로 가야 할지 분명하지 않았다.

애써 헤매지 않는 척 고개를 크게 두리번거리지 않으려 했다. 다행히 눈치껏 사람들을 따라가다 운 좋게 입국심사 줄을 찾을 수 있었다. 앞에 서 있던 일본인 여자분에게 이곳이 환승하는 곳이 맞는지 물으니 친절하게 맞다고 알려주셨다. 한결 안심이 되었지만 혹시나 하는 마음에 지나가던 공항 직원에게 한 번 더 물어봐야 했다. 제대로 줄을 섰다는 사실에 그제야 안도의 한숨을 내쉬었다.

그것도 잠시 문득 입국심사에서 통과하지 못하면 다시 한국으로 돌아가야 한다는 글이 떠올라 또다시 바짝 긴장됐다. 줄을 서는 동안 준비한 예상 질문의 답변을 계속 머릿속으로 되뇌었다. 앞쪽에는 두 개의 입국심사 부스가 있고 기다랗게 줄을 선 사람들이 심사가 끝난 부스로 차례대로 걸어 나갔다. 대기 줄이 짧아질수록 심장은 더욱 쿵쾅거렸다. 이제 와서 돈을 더 들여서라도 직항을 탈 걸 후회해 봤자 한참 늦었다.

입국심사관 두 사람 모두 남자였는데 한 분은 친근한 인상에 왠지 모를 허술함이 느껴져 이분에게 심사받았으면 하고 바랐다. 하지만 나의 바람과는 다르게 깐깐한 표정의 심사관이 큰 소리로 외쳤다.

"Next!"

심호흡을 크게 하고선 뚜벅뚜벅 걸어가며 계속 마인드 컨트롤을 했다. 심사관 앞에 다다라 조심스럽게 여권과 입국심사 카드를 내밀었다. 그는 대충 쓱 훑어보더니 날카로운 눈빛을 내비쳤다.

"캐나다에는 왜 왔습니까?"

"저는 브라질로 갑니다."

"브라질은 왜 가나요?"

"친구를 만나러 가요."

"한국인?"

"아뇨. 브라질 사람입니다."

"그 사람과는 어떻게 알게 된 건가요?"

"우리는 고향에서 만났어요." (왠지 동문서답을 한 느낌이다)

"흠…. 그녀는 일하러 왔었나요?" (여자라고는 안 했는데?)

"네."

"브라질엔 얼마나 머물 건가요?"

"친구 집에서 3개월 지내다가 남미를 여행할 거예요." (너무 오래 있겠다고 하면 수상하게 볼까 봐 일부러 기간을 줄여서 말했다)

"언제 가나요? 캐나다에서 머물 건가요?"

"아뇨. 지금 가야 해요."

심사관의 예리한 눈빛에 살짝 주눅이 들었으나 괜한 오해를 살까 봐 무덤덤한 얼굴로 그의 물음에 차분히 대답하려 애썼다. 심사관은 사뭇 진지한 얼굴로 마지막 답변에 고개를 끄덕거리더니 "OK."라고 말하며 쾅- 하고 여권에 도장을 찍었다. 여권을 받자마자 도장을 확인하고는 큰 산을 넘었다는 생각에 뿌듯해졌다. 드디어 캐나다를 벗어나 브라질로 간다.

긴 기다림 끝에 올라탄 비행기에서 내려다본 토론토의 야경은 정말 아름다웠다. 커다란 도시에 금빛이 빼곡히 반짝인다. 갑자기 이 장면을 남기고 싶다는 생각에 카메라를 꺼내서 사진을 찍으려는데 창문에 반사된 내 얼굴이 보였다. 지금 이 순간, 이곳에 있는 내가 너무 낯설면서도 기분 좋다.

최대한 야경을 예쁘게 찍으려고 카메라 셔터를 여러 번 찰칵-찰칵- 눌렀다. 그 순간 바로 옆에 누군가가 바라보는 시선이 느껴졌다. 고개를 돌려보니 나이가 지긋한 아주머니께서 싱긋 미소 짓고 계셨다. 나도 어색하게 따라 웃어 보였다. 그때는 너무 촌스럽게 굴었나 싶어 민망했지만 돌이켜 보면 그건, 비행기 창밖을 신기하게 바라보며 들떠 있는 젊은이를 응원하는 미소였다고 생각된다.

브라질로 향하는 마지막 비행이다. 곧 그토록 바랐던 종착지에 도착한다. 출발 전부터 마음에 무겁게 자리 잡았던 감정은 여전히 그대로 있다. 비행기 안에서 잠들고 깨기를 반복할 때마다 어김없이 나타난 질문 역시 가슴 한가운데 크게 차지하고 있다. 그 무거움은 여행을 계획하기 훨씬 전부터 가지고 있었던 걸 잘 안다. 과연 이걸 남미에 내려놓고 올 수 있을까?

기나긴 여정 끝에 브라질에 도착했다. 이게 얼마 만에 보는 태양인가! 더운 공기가 훅하고 들어와 뒷걸음질 치게 했다. 바깥 풍경은 우리나라와 크게 다르지 않았으나 열대 나무 몇 그루가 거리에서 있었다. 날씨는 우리나라의 덥지 않은 여름 정도이다.

근처에 스피커가 있는 건지 음악 소리가 들렸다. 리듬을 타고 싶게 만드는 기분 좋은 멜로디이다. 주위를 둘러보니 한 남자가 처음 보는 악기를 연주하고 있었다. 기타와 비슷하게 생겼는데 그보다는 작은 악기였다. 그제야 브라질에 왔음을 실감하였다.

계획대로 되는 건 없지만

1

저녁 시간 나무가 우거진 남산 러닝 코스를 달리다 보면 이질적인 커다란 건물들이 줄지어 보이는 뻥 뚫린 구간을 만난다. 해가 완전히 기울어 하늘이 붉은빛으로 물들면 투박한 건물조차 작품처럼 근사해 보인다. 높이 솟은 건물들에는 이름만 대면 누구나 알 만한 기업의 마크가 새겨져 있다. 문득 서울에 있는 게 실감 난다.

어릴 적엔 막연히 서울에서의 삶을 동경했다. 다들 입을 모아 서울이 좋다고 하니 더 멋져 보였다. 하지만 정말 이곳에서 살게 될 줄은 생각지도 못했다. 여행에서 돌아와서는 이대로 고향에서 쭉 살아도 좋고 또 다른 지방도 상관없었지만, 서울은 아예 논외였으니까. 어디서 살게 될지조차 계획할 수 없는 인생이라니. 조금 무서워진다.

2

바네사의 집에서 머문 지 한 달이 다 되어 간다. 그녀가 사는 곳은 대도시인 리우데자네이루에서 3시간 정도 버스를 타고 가야 하는 '마카에'이다. 이곳은 해변에 있는 맛있는 아이스크림 가게까지 15분 정도만 운전하면 금방 갈 수 있는 바다와 맞닿은 소도시이다. 햇빛은 늘 강하지만 습하지 않아 다행히 땀범벅이 되지는 않는다.

꼬마 아이들은 내가 신기한지 동그란 눈으로 힐끔힐끔 바라본다. 가끔 옆에 있는 부모님이 멋쩍게 웃을 정도로 빤히 보는 아이도 있다. 처음엔 그 시선이 부담스러워 도대체 어떤 표정을 지어야 할지 난감했으나 지금은 눈을 마주치며 싱긋 웃는 여유가 생겼다.

마카에의 일상은 규칙적이다. 힘들게 찾은 스페인어 학원 수업이 무산되면서 차선책으로 등록한 영어 학원을 주중에 매일 착실하게 다닌다. 영어 회화 수업은 50대 여자 선생님에게 일대일로 듣는다. 긴 갈색 머리에 키가 크고 늘씬해서 멀리서도 눈에 확 띈다. 그녀는 본인의 과거 결혼생활과 이혼 같은 개인적인 이야기를 서슴없이 했다. 브라질에서는 흔한 이야기 인지 아니면 내가 잠시 머물다 가는 사람이라서 인지는 모르겠지만 꽤 흥미로워 듣는 재미가 있었다.

브라질 생활 초반에는 수업을 마치면 뒤도 돌아보지 않고 빠른 걸음으로 곧장 집으로 갔다. 현지인인 바네사 조차 늘 조심해야 한다며 단단히 경고해서 잔뜩 겁이 난 나머지 혼자 동네를 돌아다니는 건 상상도 하지 못했다. 학원을 정하는 데 있어서 선생님의 실력이나 커리큘럼은 제쳐두고 거리를 무조건 1순위로 두었다.

하지만 점점 이곳이 익숙해지고 또 집에만 있는 건 너무나도 심심했기에 혼자 과일가게나 마트에서 장을 보는 걸 시작으로, 시내에 있는 단골 케이크 가게를 만들기로 이어지며 점차 세력을 확장했다. 그리고 막바지엔 바네사가 마약상이 있을지도 모른다고 한 공원도 당당히 가로질러 갈 수 있게 되었다.

저녁 시간에는 언제나 바네사와 함께 요리한다. 우리는 매일 새로운 요리를 하는데 재미를 붙였다. 꼭 한 가지는 한국에서 먹어보지 않은 식재료를 곁들여 요리했다. 특히 이름이 기억나지 않는 얇고 기다란 녹색 채소를 늘 구비해 두고 여러 요리와 곁들여 먹었다. 특별한 맛이 나진 않았지만, 살짝 고소하면서 식감이 아삭하여 좋았다. 가끔 바네사와 친한 이웃인 에기마와 베지가 음식을 나눠주어 더욱 풍성한 저녁 식사를 할 수 있었다.

에기마와 베지는 이 빌라 맨 위층에 산다. 마을과 바다가 한눈에 보일 정도로 전망이 좋다. 처음 그들을 보았을 때는 당연히 부부인 줄 알았는데 알고 보니 단순히 동거인일 뿐이었다. 한국에서는 쉽게 볼 수 없는 가구 형태라 무척 놀랐지만, 실례가 될 수 있기에 아무렇지 않은 척 "그렇군요"하고 고개를 끄덕였다.

두 분 다 처음 만난 순간부터 이해가 안 될 정도로 나를 상당히 좋아하며 반겨주셨다. 영어를 거의 하지 못하셔서 번역기에 의지하시면서도 내가 어떤 말을 할지 기대에 찬 눈으로 기다려 주셨다. 바네사가 일을 하러 타지에 잠깐 가 있는 동안은 늘 점심에 초대해 주셨다(저녁까지 초대해 주셨으나 죄송하기도 하고 조금은 부담되어 정중히 거절해야 했다). 그리고 가끔 해변이나 농장 등에 있는 좋은 레스토랑에 데려가 맛있는 음식을 사주셨다.

지금 생각해 보면 낯선 땅에 온 젊은이를 환영하는 최대의 호의를 베풀어주셨던 것 같다.

뒷정리까지 모두 마치고 여유를 되찾고 나면 바네사와 함께 전혀 알아들을 수 없는 포르투갈어 드라마를 챙겨봤다. 어떤 내용인지 추측할 수 있을 정도로 마약과 갱이 나오는 뻔한 막장 러브 스토리였다. 드라마가 끝나면 별로 한 것도 없는데 어느새 잠자리에 들 시간이 온다.

바네사가 나를 위해 따로 구비해 준 깨끗한 매트와 포근한 침대보에 몸을 누우면 뭔가 느슨해지는 기분이 든다. 일과 중엔 자각하진 못했지만 내 몸은 늘 긴장 상태를 유지했던 것 같다.

낯선 곳에서 아무 일 없이 무탈하게 하루를 보낸 게 다행이라고 할 수 있지만, 언제부턴 간 '이렇게 평범해도 될까?'라는 걱정 들기 시작했다. '그래도 이곳은 지구 반대편이니까'라며 스스로 위안하며 애써 잠이 들었다.

하지만 지난밤의 고민이 허탈할 정도로 예상치 못한 계획의 변화가 생길 줄이야. 방심할 때를 기다렸다는 듯이 장난기 많은 운명의 신이 뒤통수를 쳤다. 그리고 이 변화가 나를 어디로 이끌 줄은 그때는 전혀 알지 못했다.

바네사 집 창밖으로 보이는 푸른 하늘

아삭아삭 맛있는 채소!

가장 좋아하는 바나나 로케이크~

3

"나 이사를 하게 될 수도 있어. 그러면 네 여행 일정을 바꿔야 할지도 몰라."

갑자기 이사라니 또 여행 일정을 바꿔야 할 수도 있다니. 예상치 못한 이야기를 연달아 들으니 도무지 상황 파악이 되질 않는다. 하지만 바네사의 슬픈 목소리와 집안을 감싸는 무거운 공기가 상황의 심각성을 어렴풋이 알려준다. 어디선가 비상벨이 위잉- 위잉- 울리며 경고하는 듯했다.

요즘 따라 부쩍 바네사의 표정이 어두웠다. 하지만 그녀가 아무 말도 하지 않았기에 무슨 일인지 짐작조차 하지 못했다. 이때 눈치를 챘어야 했고, 어쩌면 한 번쯤 그녀에게 물어볼 수 있었다. 아니 물어봤어야 했다. 일이 없는 날에도 항상 바쁘게 움직이는 바네사에게 무엇 때문에 그렇게 바쁜지, 어떤 문제가 있는지 붙잡고 물어보지 않았던 수많은 날이 스쳐 지나간다. 그저 브라질은 시스템이 좋지 않아 직접 가서 처리해야 할 일이 많을 거라 혼자 섣불리 단정 지었다. 어쩜 이렇게도 바보 같을까.

부엌에서 흐느끼는 소리가 들려 다급히 가보니 바네사가 눈물을 흘리고 있었다. 그녀는 나 때문에 편히 울지 못했다. 마음이 쿵- 하고 내려앉았다. 내가 못 본 척 외면한 순간들 속에 혼자 힘들어했을 바네사를 생각하니 가슴이 아팠다. 겨우 마음을 추스른 바네사에게 그제야 정확한 상황을 들을 수 있었다.

"여기는 집값이 너무 비싸. 그리고 돈을 내면 자기들 마음대로 약속을 바꿔버려. 리우(리우데자네이루)로 이사를 가서 거기 사는 친구들에게 도움을 요청해야 해."

그녀에게 짐이 되었다는 사실에 스스로가 한심하게 느껴졌다. 항상 배낭여행, 영어와 스페인어 공부 따위의 배부른 고민을 떠들어댈 때 "잘할 수 있을 거야!"라며 용기를 주던 그녀는 홀로 현실적인 문제에 맞서야 했다. 이미 내가 도착했을 때, 그녀의 문제는 한창 진행 중이었다.

갑작스러운 바네사의 말에 당황스럽고 겁이 났다. 여행 일정을 바꾸는 것, 정확히는 여행 일정이 늘어나는 것은 생각지도 못했다. 하지만 그녀에게 더 이상 어떠한 짐도 될 수 없었기에 여행 일정을 변경하기로 했다(사실 그 외에 어떤 선택지가 있는 건 아니지만…). 이로써 내 여행은 성큼 생생한 현실로 다가왔다.

원래 계획은 6개월간 바네사 집에 거주하며 포르투갈어와 스페인어를 배우고 중간중간 짬을 내서 브라질과 아르헨티나 이곳저곳을 짧게 여행하는 것이었다. 그리고 마지막 한 달 정도만 남미 일주를 할 예정이었다. 한국으로 돌아가는 비행기 편을 바꿀 수도 있었을 테지만 차마 그럴 순 없었다. 가족과 친구들이 '왜 벌써 왔지?' 하는 갸우뚱한 얼굴이 떠오르자 그런 불명예스러운 퇴장은 절대 하고 싶지 않아졌다.

'지구 반대편까지 온 마당에 무엇이 두려울까'라고 생각했지만 아무리 생각해도 한 달이 넘는 배낭여행은 갑작스러웠다. 길어봐야 한 달 반 정도라 생각했으니까. 한국으로 돌아가는 비행기는 9월 초이고 여행을 시작하는 날은 4월 중순쯤이니 넉 달 반은 남미 어딘가를 홀로 전전해야 한다. 바네사는 여행사 투어를 제안했지만, 이 역시 자존심이 허락하지 않았다.

언어를 충분히 배우고 여행을 시작하는 게 여러모로 좋은 거라는 그럴듯한 핑계 아래 어딘가 찜찜한 편안함을 누리려 했던 나를 직면할 수밖에 없었다. 물론 브라질에서 생활한다는 사실만으로도 새롭고 들떠있는 기분이었지만 한편으로는 뭔가 부족하다는 생각을 늘 해왔다.

'인생은 리허설이 없다!'라는 청춘 드라마에서 나올 법한 대사를 블로그에 타이핑하며 다음 스텝을 준비했다.

가장 무시할 수 없는 건 '예산'. 통장 잔고를 옆에 펼쳐두고 앞으로 가게 될 여행지들을 지도 위에 한 점 한 점 찍어보았다. 차근차근 이동비와 숙박비 그리고 식비 등을 하나씩 가늠해 보려 하지만 이내 머리가 아파졌다. 카페나 검색 등을 통해 대략적인 비용은 알 수 있었으나 예산을 책정하려 하자 갑갑해졌다. 사용하는 화폐가 다 다르니 달러로 다시 변경해서 계산해 봐야 했다. 나는 절대 엑셀로 여행 예산을 깔끔하게 정리하는 부류의 사람이 될 수 없을 거다. 결국 '에라 모르겠다'라는 심정으로 다 덮어버렸다.

"지금 가지고 있는 정도면 4개월은 여행할 수 있을 거야. 무조건 아껴 쓰면 어떻게든 되겠지!"

하지만 얼마 안 가 불안한 마음이 슬금슬금 올라왔다. 다시 마음을 고쳐먹고 비슷한 기간 동안 여행했던 다른 여행자의 예산을 찾아보니 지금 수중에 있는 돈으론 조금 빠듯했다. 여행 중간에 돈이 떨어져 버리면 큰 낭패다. 물론 부모님의 도움으로 충당할 수 있으나 그건 영 볼품없지 않은가?

고민하던 차에 우연히 남미 여행 카페에서 한 구인 글을 발견했다. 아르헨티나 칼라파테의 후지 여관에서 일할 매니저를 찾는 공고문이다. 글을 천천히 읽어보니 너무나도 마음에 쏙 드는 조건! 냉큼 맨 아래 적혀있는 메일 주소로 지원 메일을 보냈다. 일하는 기간에 대한 조정이 있긴 했지만, 운 좋게 여행 막바지인 8월 한 달을 후지 여관 매니저로 일하는 것이 확정되었다.

어쩌다 보니 브라질에서 시작하여 남미를 위로 한 바퀴 크게 돌아 아르헨티나로 가는 여행 루트가 완성되었다.

늦은 밤 매트리스에 깊숙이 누웠다. 눈앞에 보이는 건 까만 천장뿐인데 그제야 먼 곳에 와있다는 사실을 더욱 실감한다. 이불을 목까지 꼭 덮으니 어두운 그림자가 엄습한다. 이제 정말로 혼자가 되어 이 여행을 시작하고 마무리 지어야 한다. '과연 잘 해낼 수 있을까?', '그럴만한 힘이 나에게 있을까?' 두근거리는 가슴이 진정되질 않는다. 하지만 아주 조금은 설레는 것 같기도 하다. 쉽게 잠들기 어려운 밤이다.

4

서울은 적응이 되었나 싶다가도 낯설고, 이제 조금 알 것 같다가도 전혀 모르겠다. 갈 곳은 넘쳐나지만, 머물 수 있는 곳은 거의 없다. 공무원인지라 마음먹고 전보를 쓰지 않는 이상 이곳에서 평생 살게 된다. 그런 날이 온다면 무슨 일인지 몰라도 엄청난 결심을 한 거겠지. 서울에 큰 애정이 있는 건 아니지만 그럴 일이 없길 바라는 아이러니한 마음.

나이가 들었는지 이제는 편히 뿌리를 내리고 싶다가도 왠지 모를 오기가 생겨 마구 떠돌아다니고 싶기도 하다. 방황하는 걸 즐긴다기보다는 아직도 그럴 수 있는지 한번 확인하고 싶은 마음. 그건 상상만으론 알 수 없는 거니까. 머무는 쪽이든 떠나는 쪽이든 또다시 예상치 못한 인생의 새로운 국면에 다다를 순간이 오겠지. 그럴 땐 내 여행의 시작을 자연스레 떠올릴 것 같다.

떠밀린 줄 알았으나 바라던 대로 유유히 흘러갔던 그때를

흠... 이제 정말 물러설 곳이 없군..

여행이 조~금
알당게 졌다고
생각하지 뭐!
고롱 고롱

우선 가장 가고 싶은 곳을 지도에 표시하고
이곳을 향해 간다고 생각하며
루트를 짠다!
룰루~

HOSTEL
숙소나 교통편은
넷북으로 그때 그때
예약하면 되니까~
화하하
Google
당시 스마트폰을 산지 얼마
안되어 두고감!!
(여행은 10배 힘들어짐ㅎㅎ)

이 정도만 해도 뭐..
충분하지 않을까~?
막히면
어떻게든 될거야~
솔직히
귀찮은거지?

그래도 불안하긴 했는지 호신용품과 상비약, 여권 사본은
여러번 꼼꼼하게 확인했다.
으음.. 이거
제대로 챙긴거
맞겠지!
영차
영차

꿈이 현실로 되는 순간

1

‘오랫동안 꿈을 그리는 사람은, 마침내 그 꿈을 닮아간다.’ 프랑스 소설가이자 정치가 앙드레 말로가 한 말이다. 그 시절 나는 이 문구를 가슴 깊이 새겼다. 언젠간 꿈꿔온 내 모습으로 멋지게 채색되길 간절히 바라면서. 매해 꾹꾹 눌러쓴 버킷리스트에는 빠짐없이 배낭여행이 자리 잡고 있었다.

나와 같은 많은 청년이 배낭여행에 로망을 가지고 있을 때였다. 새로운 세계에 대한 건전한 호기심과 건강한 신체를 가진 젊은이라면 그럴 만하지 않을까? 젊음을 뽐낼 수 있는 에너지와 삶에 대한 긍정성이 기분 좋은 향기와 함께 흘러넘쳤다.

수많은 여행지 중에 가장 가고 싶은 곳은 단연코 렌소이스 마라넨시스 국립공원이다. 이곳은 우연히 카페 게시판에서 ‘브라질의 사막.jpg’라는 제목의 글을 클릭하면서 알게 되었다. 사진을 보는 순간 놀라움을 감출 수 없었다. “지구상에 이런 곳이 있다니!” 외국의 명소 사진을 볼 때마다 어디든 떠나고 싶은 마음에 가슴이 울렁거렸지만, 이곳은 그 차원을 넘어서 심장이 터질 듯 요동

쳤다. 두 눈으로 담는다는 걸 상상조차 할 수 없을 정도로 환상적인 곳이었다.

남미의 첫 여행지로 이곳에 가게 된다니. 처음부터 끝판왕을 만나는 느낌이다. 이렇게 멋진 곳을 가장 먼저 가게 되면 이후에 가는 곳은 어디든 시시해 보일지도 모른다. '원하는 것을 이루었으니 이제 설렁설렁 다녀보자'까지는 아니라도 확실히 텐션이 낮아질 거다. 아니면 반대로 기대보다 아주 실망스러울 수도 있다. 사진 기술이 발달하여 빛을 이용해서 각도를 잘 잡거나 살짝만 보정해도 실제보다 훨씬 근사해 보이니까. 하지만 이제는 이런 잡념과는 관계없이 앞으로 나아가야만 하는 거지.

2

비행기를 타기 위해서는 공항이 있는 리우데자네이루로 가야 한다. 바네사는 걱정되었는지 리우에서 하룻밤을 같이 묵겠다고 했다. 우리는 아침 일찍 일어나 3시간 동안 리우행 버스를 타고, 도착하자마자 정신없이 택시를 잡아 Botafogo로 넘어갔다. 바네사는 이 지역이 가장 안전하기에 반드시 이곳에서 숙소를 구해야 한다고 거듭 말했다.

첫 번째로 방문한 호스텔은 입구부터 우중충하다. 직원의 안내에 따라 들어간 도미토리에서 우리는 경악할 수밖에 없었다. 낡고 오래된 방에 이층 침대 여러 개가 빈틈없이 다닥다닥 붙어있고, 억지로 구겨 넣은 듯 방 전체가 침대로 가득 차 있다. 환기가 잘 안 되는지 퀴퀴한 곰팡냄새가 코를 찔렀다. 직원은 우리 반응이 놀랍

지도 않다는 듯 심드렁한 표정이다. 그가 마치 교도관처럼 느껴졌다. 바네사는 고개를 절레절레 저으며 본인이 돈을 낼 테니 좀 더 좋은 곳으로 가자고 제안했다.

바네사가 책자에서 찾은 두 번째 호스텔은 건물 전체에 빛이 잘 들어오고 화이트톤에 깔끔했으며, 여러 가지 소품들로 예쁘게 꾸며져 있었다. 게다가 밝고 쾌활한 스태프들로 인해 호감도가 더욱 상승했다(여기가 이후 내가 가게 될 숙소 중 가장 좋은 곳이 될 줄은 그땐 몰랐다). 우리는 더 고민하지 않고 이곳에 짐을 풀었다. 긴장이 풀리니 배가 고파져 곧장 레스토랑에 가서 점심을 먹었다. 그리고 나선 은행에서 돈을 뽑아 1,200달러로 환전하였다. 달러는 어느 나라에서든 통하니 필요할 때마다 그 나라 화폐로 환전하면 된다. 수중에 큰돈을 가지고 있으니 긴장감이 생겼다.

다음 날 바네사가 먼저 떠나고 곧이어 나도 공항으로 향했다. 예약해 둔 택시가 숙소 앞까지 와서 몸은 편안했으나, 마음은 전장에 참여하기 직전 병사와 같았다. 이것저것 넣다 보니 배낭은 엄청나게 무거워졌다. 물건을 몇 개 빼야 하나 고민했지만, 여행 도중 필요한 물건이 없어 당황하는 것보다 낫다는 생각에 꾹 참아내기로 했다. 등 뒤에는 커다란 배낭을 메고 앞으로는 작은 배낭을 메었다. 작은 배낭 속에는 여권, 달러, 카드 등 절대 사수해야 할 것들을 넣어두었다. 모양새가 조금 우스꽝스럽지만 지금 신분은 배낭여행자이니까 주변 시선 따위는 의식할 필요 없다.

렌소이스 마라넨시스 국립공원이 있는 바헤이리냐스로 가기 위해서는 먼저 상루이스를 거쳐야 한다. 리우에서 상루이스는 4시간 반 정도 비행을 해야 한다. 김포공항에서 제주도까지 고작 한 시간이 걸리는 걸 감안하면 브라질의 크기를 새삼 실감하게 된다. 비행기 바로 옆자리에는 콧수염이 난 무뚝뚝한 아저씨가 앉았다. 어쩌다 눈이 마주쳤는데 무척이나 어색하여 서로 고개를 돌려버렸다.

비행기가 출발하고 얼마 지나지 않아 승무원이 복도를 걸으며 승객에게 기내 간식을 나눠주었다. 잠을 자는 승객은 지나치고 깨어 있는 승객에게만 간식을 건네주는 걸 보고는 '잠들지 않길 잘했군'이라고 생각했다. 총 세 가지 종류의 스낵이 있었는데, 승무원이 다가와 어떤 걸 먹고 싶은지 물었다. 살짝 민망했지만 'todo(토도, 모두)'라고 대답했다.

잠깐 잠이 들었다가 눈을 떠보니 눈앞에 의자 주머니가 불룩하다. 주머니 안을 들여다보니 새로운 스낵이 들어 있었다. 알고 보니 그사이에 또다시 간식을 나눠 주어 옆자리 아저씨께서 챙겨주신 거였다. "Obrigada(오브리가다, 감사합니다)"라고 꾸벅 인사를 드리니 쑥스러우신 듯 웃으셨다. 새로 받은 간식은 바로 먹지 않고 잘 챙겨두었다가 배가 고플 때 짬짬이 꺼내 먹기로 했다. 왠지 여행 도중에는 비상식량을 쟁겨둬야할 것 같다. 이미 호스텔에서 조식으로 나온 토스트도 고이 싸서 가방에 넣어두었지만.

공항에 도착해 짐을 찾고 나오니 예상과는 달리 공항 안은 무척 한산했다. 덕분에 인포메이션 센터를 쉽게 발견할 수 있었다. 작은 프런트에 앉아 있던 여자 직원 한 분과 눈이 마주쳤는데 눈동자가 상당히 흔들리며 당황하셨다. 외국 손님이 별로 오지 않는 곳인지 그녀와 영어로 소통하는 게 쉽지 않았다. 우리는 겨우 짤막한 대화를 이어 나갔다. 그래도 열심히 설명하려 애써주신 덕에 가장 중요한 '이 근방에서 제일 싼 호스텔'과 '택시 정류장'에 대한 정보를 얻을 수 있었다.

그녀는 공항 밖까지 나와 택시를 잡아주고, 직접 기사님께 목적지까지 알려주셨다. 덕분에 20분도 안 걸려서 편하게 숙소 앞까지 도착했다. 내리기 직전에 슬쩍 택시비 흥정을 시도했으나 아저씨가 아주 곤란하단 표정으로 고개를 저으셨다. 그렇다면 스르르 물러설 수밖에. 호스텔에서도 심기일전하여 흥정을 시도했지만, 스태프가 아주 많이 지친 표정으로 "Sorry"라고 말해 또다시 포기할 수밖에 없었다. 이로써 흥정하는 것에는 전혀 소질이 없다는 걸 알게 되었다.

호스텔의 첫인상은 길을 잃어 잘못 들어간 골목에서 우연히 발견한 여인숙이랄까? 왠지 오래된 역사가 있을 것 같은 신비로운 느낌이다. 하지만 입구에 무시무시한 철창이 있어 주변 치안이 그리 좋지 않은 걸 어렴풋이 짐작했는데, 마침 스태프 중 한 명이 오른쪽 거리 끝을 가리키며 저쪽에는 마약을 파는(혹은 마약을 하는) 사람이 많으니 절대 가지 말라고 경고했다.

스태프가 여성 전용 도미토리로 안내해 주겠다며 따라오라고 했다. 2층으로 올라가는 계단에서 나 이외 묵는 사람이 또 있는지 묻자, 그는 프랑스에서 온 여자가 한 명 있다고 했다. 방문 앞에 도착하자 스태프가 친절히 문을 열어주었다. 조심스레 방 안으로 한 걸음 발을 내디뎠다. 방은 무척 어둡고, 촉촉한 습기를 가득 머금고 있다. 90년대 유럽 영화에서 나올법한 비주얼로, 늘 상상 해오던 호스텔의 전형적인 모습이다. 룸메이트는 잠시 외출을 한 건지 짐만 덩그러니 남겨져 있다.

전체적으로 어두운 분위기의 호스텔 안

배낭을 아무렇게나 바닥에 내려놓고 빈 침대에 누웠다. 머리 위에서 팽팽 돌아가는 환풍기를 보니 기분이 이상해졌다. 외딴섬에 혼자 남겨진 것만 같은 기분이다. 너무나도 낯선 이곳. 가족의 얼굴이 떠올랐다. 울 것 같은 기분이 들었지만, 다행히 눈물은 나오지 않는다.

침대에 멍하니 누워있다가 정신이 번뜩 들었다. '이러고 있을 때가 아니지!' 해가 지기 전에 동네를 둘러보기 위해 무거운 몸을 겨우 일으켰다. 이렇게 멍하니 시간을 흘려보낼 순 없다. 그건 언제나 또 어디에서나 할 수 있는 거니까. 먼 곳까지 온 만큼 새로운 상황에 나를 내던지고 싶다. 안전한 숙소에서 웅크리고 싶은 마음을 꾹꾹 누르며 호스텔 문을 나섰다. 덜덜 떨리는 내 속을 알 리 없는 스태프는 미소를 지으며 잘 다녀오라고 손을 흔들어 주었다.

우선 스태프가 절대 가지 말라고 경고했던 반대 방향으로 무작정 걸었다. 일요일이라 사람이 없어 거리가 한산하다. 낯선 여행자의 등장에 사람들은 경계하듯 힐끔힐끔 곁눈질로 바라본다. 조금 무서웠지만 그럴수록 어깨를 활짝 펴고 큰 보폭으로 성큼성큼 걸었다. 이렇게 하면 누구도 나를 함부로 건드리지 못할 것 같다. 이때의 습관이 남아 있는지 자신감을 충전하고 싶을 때 의식적으로 어깨를 열어젖히며 당당하게 걷는다. 이 방법은 언제나 통한다.

상루이스는 유네스코에 등재된 역사적인 도시이다. 이 도시는 17세기 최초의 도시계획인 직교형 거리 배치가 그대로 보존되어 있다. 길이 구불구불하지 않고 깔끔한 직선이라 길을 잃어도 왔던 길로 다시 쭉 돌아가면 된다. 나처럼 직감대로 제멋대로 움직이는 사람에게는 안성맞춤이다. 건물 대부분이 포르투갈 식민도시의 전형적인 양식인 유리 타일로 장식되어 있다. 잘 빚은 도자기처럼 윤이나는 건물들은 우중충한 날씨임에도 그 존재감이 사그라지지 않는다.

발걸음을 멈추고 거리 한가운데 서서 주위를 둘러본다. 영화에서만 보던 이국적인 거리와 건물 그리고 낯선 사람들이 나를 둘러싸고 있다. 이런 곳에 '혼자' 와있다는 게 믿어지지 않는다. 여기가 지구 반대편이라는 사실을 의식할 때마다 매번 놀라움의 연속이다. 이탈리아 단기 여행도 겁이 나서 취소해 버렸던 내가 남미까지 오게 될 줄은 누가 알았을까?

어느새 교회와 법원, 은행과 같은 큰 건물들이 줄지어 서 있는 시내까지 와버렸다. 여기까지만 둘러보고 돌아갈까 하다가 욕심이 생겨 더 걸어가 보기로 했다. 그렇게 하염없이 걷다 보니 길이 끝나고 바다가 보이는 지점까지 와버렸다. 늘 시작하는 게 어렵지 막상 하고 보면 이렇게 어렵지 않은데. 이 여행도 어떻게든 잘 마무리를 지을 수 있을 거라는 믿음이 조금씩 생기게 된다.

바다까지 보고 나니 문득 너무 멀리 왔다는 생각에 화들짝 놀랐다. 어두워지기 전에 얼른 숙소로 돌아가기 위해 뒤돌아 다시 길을 따라 부지런히 걷고 있는데 어디선가 진한 먹구름이 서서히 나타나기 시작했다. 심상치 않은 기류가 흐르더니 조금씩 빗방울이 톡톡 떨어졌다. 보폭을 더욱 크게 하여 서둘러 숙소로 향했다. 호스텔에 딱 도착하자마자 비가 우수수- 무섭게 쏟아 내렸다.

'휴, 운이 좋았다.'

자동차 아래에서 곤히 잠든 고양이

빗물을 털어내며 도미토리 문을 열자 바닥에 앉아 있는 금발 머리를 질끈 묶은 여자가 보였다. 단번에 그녀가 스태프가 말했던 룸메이트라는 걸 알아챘다. 그녀 역시 숙소로 돌아온 지 얼마 안 되었는지 막 배낭을 풀고 정리 중이었다. 탄탄한 근육질의 늘씬한 몸이 눈에 띄었다. 그녀는 무표정에 강해 보이는 턱과 눈빛을 가져 함께 방을 쓰지 않았더라면 선불리 다가가지 못했을 엄청난 포스를 풍겼다. 내가 생각한 전형적인 배낭여행자의 모습이다.

그녀의 기에 살짝 눌렸지만, 눈이 마주치고는 반사적으로 먼저 "Hi"라고 인사를 건넸다. 그녀 역시 손을 살짝 들며 인사를 받아주었다. 그녀의 이름은 씨씨. 알고 보니 프랑스가 아니라 프랑스령 기아나에서 왔다. 이곳은 베네수엘라 옆에 있는 작은 나라인데 스태프가 Guyane française라고 말한 걸 잘 알아듣지 못 했던 거다. 특이하게도 이 나라는 과거 식민지에 따라 가이아나(영국령), 수리남(네덜란드령), 프랑스령 기아나 세 구역으로 나뉘어 있다.

씨씨가 어제 바헤이리냐스에 다녀왔다는 말을 듣자마자 깜짝 놀라 곧바로 렌소이스 마라녠시스 국립공원에 간 거냐고 물었다. 그녀는 웃으며 고개를 끄덕였다. 그곳은 실제로 어땠는지, 정말 사진처럼 멋진지, 사막에 물이 많이 고여있는지 호기심 가득한 눈빛으로 질문을 마구 쏟아냈다. 그녀는 사막에 물이 많이 고여있고 아주 멋졌다고 말하며 그곳을 회상하는 듯 밝게 미소를 지었다. 그녀의 긍정적인 대답에 기대감이 샘솟았다. 씨씨는 가방을 뒤지더니 렌소이스 마라녠시스 국립공원 팸플릿을 나에게 건네주었다. 갑작스럽지만 여행자와의 첫 정보 교류가 성사되었다(물론 받기만 했지만). 진짜 배낭여행자가 된 듯한 설레는 기분이다.

씨씨의 나라에서는 불어를 쓰기 때문에 스페인어는 계속 공부 중이라고 했다. 그녀는 앞으로 페루, 볼리비아, 칠레, 아르헨티나 등을 여행하면서 스페인어를 배울 계획이다. 내가 앞으로 여행할 루트와 비슷해서 왠지 동질감이 느껴졌다. 나 역시 스페인어를 공부하는 중이라고 당당히 말하자, 그녀는 무척 반가워하면서 갑자기 스페인어로 와다다 말하기 시작했다. 당황한 나머지 손사래 치며 "비기닝! 비기닝!"이라고 말했고, 씨씨는 아주 큰 소리로 웃었다.

늦은 밤 우리는 각자 내일을 위한 재정비를 했다. 호스텔에서 예약해 준 LockBem이라는 버스가 내일 아침 7시에 나를 픽업하여 바헤이리냐스까지 데려다준다. 하루나 이틀 정도 묵고 다시 숙소로 돌아오게 될 테니 여기에 두고 갈 물건과 가져갈 물건을 신중히 구분해야 했다. 씨씨는 내일 이곳을 떠나 다른 지역으로 이동하게 된다. 잠이 오지 않았지만, 일찍 일어나야 하니 정리를 끝내고 곧바로 침대에 누웠다.

잠자리에 들었어도 내일 비가 오지는 않을지 걱정되는 바람에 쉽게 잠이 들지 못했다. 손꼽아 기다려 온 사막을 추적추적 비를 배경으로 맞이하고 싶지 않다. 만약 비가 온다면 날이 맑을 때까지 버틸 심산이다. 긍정적으로 생각해보자면 오늘 비가 많이 왔기에 내일은 빗물이 가득 고여 환상적인 호수를 원 없이 볼 수 있지 않을까? 아침에 눈을 떴을 때 어떤 하늘이 나를 반길지 모르겠지만 받아들일 수밖에. 마음을 가다듬고 나니 오히려 무사히 하루가 지나간 것에 긴장이 풀렸다. 단 한 번도 깨지 않고 깊이 잠들었다.

다음 날 아침, 눈을 뜨자마자 창밖을 내다보았다. 지난밤의 걱정이 무색하게도 빗물에 씻긴 푸르른 하늘이 개운하다는 듯 기지개를 켜고 있었다.

3

지구상에서 가장 흰 모래사막 렌소이스 마라녠시스(Lencois Maranhenses) 국립공원은 브라질 북동부 마라냐옹(Maranhao) 주에 자리 잡고 있다. 이 사막 이름의 뜻은 마라냐옹의 침대보이다. 부드럽고 새하얀 모래를 만져보면 왜 그런 이름이 붙여졌는지 충분히 이해할 수 있다.

사막에는 놀라운 비밀이 있다. 우기에 내린 엄청난 양의 비가 모래 언덕 사이사이에 물웅덩이를 만드는데, 이렇게 고인 물은 특수한 지층으로 인해 사라지지 않고 그대로 호수를 이룬다. 새하얀 모래와 투명한 푸른빛 호수의 조화는 눈이 부시게 아름답다.

이 환상적인 사막으로 가는 길은 그리 호락호락하지 않다. 드넓은 강을 배로 건넌 뒤, 커다란 사륜구동 차량에 올라타 한 시간가량 좁고 험한 모랫길을 열심히 달려가야 한다. 마치 멈추지 않는 롤러코스터를 타는 듯 울렁거린다. 수도 없이 내리찍는 엉덩방아는 덤. 80대로 추정되는 체구가 작은할머니가 왜 보조석에 앉으셨는지 이제야 알 것 같다.

사람들은 차가 심하게 들썩일 때마다 “오우~노~” 하며 비명을 질렀다. 하지만 그렇게 고통스러워하면서도 모두 입가에 미소를 잃지 않았다. 우리는 곧 사막을 만날 생각에 잔뜩 들떠 있다.

드디어 차가 멈춰 섰고 혹사당한 엉덩이를 매만지며 후들거리는 다리로 천천히 내렸다. 겨우 한숨을 돌리려는데 눈앞에 생각지도 못한 높은 모래 언덕이 있다.

가이드는 포르투갈어로 우리에게 무어라 안내했는데, 대충 짐작건대 여기서부터는 걸어가야 한다는 것 같았다. 나와 스웨덴 중년 부부를 제외하곤 모두 브라질 사람이다. 가이드는 친절한 사람이었지만 영어를 전혀 하지 못해 눈치껏 그가 하는 말을 알아들어야 했다.

모래 언덕을 오르려는 찰나 할머니의 옆에 있던 여성분이 다가와 영어로 신발을 벗고 언덕으로 올라가야 한다고 알려줬다. 대화가 되는 사람이 있어서 다행이다. “Thank you.”하고 꾸벅 인사를 드린 뒤, 신발을 벗고 언덕을 오르는 사람들을 뒤따라갔다. 한 사람이 겨우 지나갈 수 있는 길이라 한 줄로 천천히 올라가야 했다. 길의 양옆은 무성한 수풀이 자라나 있다. 사막 바로 옆에 초록 잎이 가득한 게 신기하다.

모래 언덕은 과장을 조금 보태서 경사가 직각에 가까웠다. 발이 모래로 푹푹 꺼지고 미끄러워 한 걸음 한 걸음 조심히 언덕을 올랐다. 두 번의 가파른 경사를 넘어서야 겨우 정상에 도달했고, 드디어 사막을 마주하게 되었다.

‘헉!’하고 숨이 막힐 정도로 압도하는 광경이 눈앞에 나타났다. 눈부신 하얀 모래가 끝없이 펼쳐져 있고 그 안에는 태양에 반사된 수십 개의 호수가 보석을 머금은 듯 반짝인다. 맑고 깨끗한 하늘에 흰 구름이 미동도 없이 멈춰있다. 적막 속에 바람이 부는 소리만 휘이- 휘이- 들려올 뿐.

아무 말 없이 그림 같은 풍경을 바라만 보았다. 미술관에서 명화를 감상하는 듯 아주 조용히, 두 눈 가득 담기도록. 드디어 신이 아끼는 걸작을 발견한 게 아닐까? 아니, 이곳은 천국일지도 모른다. 너무나도 고요하고 비현실적인 공간. 이곳에 두 발로 서 있는 게 정말이지 말도 안 된다.

우리는 각자의 속도로 호수가 있는 곳으로 천천히 걸어갔다. 크고 작은 호수들이 여기저기서 날 좀 보란 듯 예쁘게 반짝인다. 주위를 보니 우리 말고도 다른 여행사를 통해 온 사람들이 꽤 많았다. 광활한 사막 속에서 인간은 너무나도 작게 느껴진다.

사람들의 표정은 모두 평화롭고 누구 하나 서두르는 이 없다. 이들이 본 나의 모습도 아마 그럴 것이다. 아름다운 장소는 그 안에 있는 사람마저 아름답게 만든다.

가까이 다가가서 본 호수는 아주 투명했다. 호수에 담긴 두 발이 선명히 보인다. 괜히 발가락이 꼼지락거려 본다. 수영을 할 수 있다고 들어 미리 수영복을 안에 챙겨 입고 왔다. 수영을 잘하진 못하지만, 호수에 몸을 담가 물을 가르며 기분을 냈다.

카메라를 어디에 갖다 대도 그림 같이 아름답다. 벌써 이곳을 떠날 생각에 아쉬운 마음이 들어 더욱 열심히 셔터를 눌렀다. 만족할 만큼 사진을 찍고 나서야 그대로 모래 위에 털썩 주저앉았다. 그러나 왠지 모를 쓸쓸함이 밀려들어 온다.

모래는 실크처럼 부드럽다. 모래의 감촉, 잔잔한 호수, 저물어 가는 해. 자연은 그저 제자리에 그대로 있을 뿐인데 어찌 이다지도 인간의 마음을 움직이는 걸까.

"그래, 너도 그렇게 그 자리에 존재하기만 해."
라고 말하는 것만 같다.

해가 지는 것으로 마무리가 되는 투어라 슬슬 사람들이 모여있는 곳으로 걸어갔다. 나에게 도움을 줬던 브라질 여자가 가까이 다가왔다. 친절하게도 혼자 있는 내가 신경 쓰이셨나 보다. 투어 초반에도 나에게 물과 과일 그리고 캐러멜을 나눠줬었다. 그녀는 할머니와 함께 여행하기 위해 이곳에 왔다고 한다.

그 말을 듣자 나 역시 그녀처럼 소중한 사람과 함께 오고 싶다는 생각이 들었다. 나는 혼자 남미 배낭여행을 하러 왔다고 말하자 그녀는 정말 놀란 표정을 지었다 "우와 용감하네요!" 살면서 용감하다는 말을 들은 적이 없는데 남미에 와서는 꽤 많이 듣게 된다.

먼발치에서 지는 해를 바라보던 할머니와 눈이 마주쳤다. 살짝 고개를 숙여 인사를 드리자 인자한 미소를 지으셨다. 문득 세월이 흘러 노인이 된 나는 지금을 어떻게 기억할지 궁금해졌다. 부디 그때도 지금, 이 순간을 잊지 않고 기억하길 바란다.

아름다운 사막도 수십 년, 수백 년이 흘러 퇴색되어 사라지고 나라는 작은 인간도 언젠간 이 세상에 존재하지 않게 된다. 이렇게 멋진 순간이 사라지는 게 실감이 나질 않는다. 사막도 그리고 나도 가장 생명력이 샘솟는 지금. 나는 사막과 어떤 교감을 했다고 믿는다.

정확히 어떤 걸 이해했다고 설명하기가 어렵다. 그저 사막이 나에게 너무나도 다정했다는 말밖에. 할머니가 되어서야 그 복잡한 감정을 깊이 이해할 수 있을지도 모르겠다.

차를 타고 숙소로 돌아가는 도중에 갑자기 비가 엄청나게 쏟아져 내렸다.

'분명 교감을 한 것 같단 말이지….'

그래,
너도 그렇게
그 자리에 존재하기만 해.

사막을 만나기 위한 힘든 여정~
마치
놀이기구를 타는 듯한!
팡!
팡!
저기까지
걸어서?!
발이 모래에 자꾸 빠져
신발을 벗고
올라가야 한다

발이 선명하게
보일 정도로 깨끗한 물!
보기 좋았던 장면!
수영하는 아빠와 아들~

꿈을 이뤄본 적 있나요?

"꿈꿔온 순간을 두 눈으로 담은 게 언제였더라?"

꿈에 그리던 사막에 있는 내 모습을 글로 한 문장씩 써 내려갈 때마다 그 장면들이 내게로 다가왔다. 그 아름답던 광경과 다정했던 사람들 그리고 그 속에서 행복한 표정을 짓고 있는 내 모습까지 모두. 신기하게도 그것들은 사라지지 않고 여전히 마음 깊숙한 곳에 여전히 남아 있었다. 다만 내가 찾지 않았을 뿐이다.

모래 언덕을 힘겹게 올라 고개를 들었을 때 마주한 그림 같은 장면은 전신에 전율을 일으킬 만큼 생생하다. 하지만 그런 멋진 꿈을 꾸고 이루기도 했던 20대의 나를 생각하면 이제는 낯설게만 느껴진다. 세월이 흘러갈수록 그 생경함은 뚜렷해지게 될 텐데 그땐 어떻게 받아들여야 할까? 도대체 그런 석연치 않은 마음이 드는 이유는 뭐지?

그때의 나와 지금의 나는 분명한 간극이 있다. 시간의 틈도 저만치 벌려져 있지만, 여기서 남미까지의 물리적인 거리 역시 결코 무시할 수 없다. 시공간 모두 현실과 분리된 채 만나지 못하고 수년이 흘러버렸으니 당연한 이치이다. 그대로 두지 못하는 내가 문제인지도 모른다.

더 이상 흘러가는 세월에 저항심이 들진 않지만 그래도 순순히 따라가지는 못하나 보다. 오래전부터 이런 생각을 해왔다. 나라는 사람을 만들어 온 중요한 순간마다 나의 중요한 일부가 떨어져 나온다. 그리고 그 일부는 영원히 그 시간과 공간 속에서 반복해서 살아가는 거다.

그 사막에도 역시 나의 작은 조각 하나를 두고 왔다. 사막 한가운데 홀로 앉아 지평선을 뚫어지게 바라보고 있다(다른 사람들은 어느새 사라진 상태이다). 확고한 의지와 자긍심으로 눈빛이 반짝인다.

당연하지만 더 이상 그 속에 있는 젊은 여행자와 같다고 말할 수 없다. 그래도 그런 벅찬 꿈을 꾸고 또 이룬 적도 있었다는 게 큰 위로가 된다. 언젠가 또 다른 꿈을 꾸게 되었을 때, 그때처럼 잘 해낼 힘이 있다는 걸 의미하니까. 그 불씨가 꺼지지 않고 타닥타닥 살아 있길 바란다. 그때의 나는 그곳에 멈춰있지만 그 뜨거운 불씨를 안고 살아가는 나는 멈추지 않고 계속 앞을 향해 걸어가야 하니까.

베네수엘라에 간 이유

1

남미 배낭여행을 떠나는 꽤 강단이 있는 사람도 두 손 들며 돌아가는 구간이 있다. 바로 악명 높은 베네수엘라이다. 남미는 대부분 치안이 좋지 않아 늘 조심하고 긴장을 놓칠 수 없지만 그중 베네수엘라는 각별히 신경을 써야 한다.

베네수엘라는 세계에서 범죄율이 가장 높고, (전쟁하는 나라들을 제외하면) 살인율 역시 가장 높다는 오명을 가진다. 베네수엘라 여행을 준비하다 보면 권총 강도, 납치, 살인 등 무시무시한 사건에 대한 글을 쉽게 접하게 되는데 그때마다 나를 피해자에 대입하지 않기 위해 무던히 마음을 가다듬어야 했다. 게다가 여행자 사이에서는 경찰 역시 부패한 탓에 믿을 수 없다는 게 공공연한 사실이 되어 공권력의 보호를 기대하기 어렵다. 결국, 베네수엘라에서는 각자도생, 스스로 자기 자신을 보호해야 한다.

내가 여행을 했을 당시에는 차베스 대통령이 죽은 지 두 달도 채 안 되어 나라가 혼란스러웠다. 외교부가 베네수엘라를 여행 자제 지역으로 선정했고, 증명된 바는 없으나 소문에 의하면 우리나라 사람이 베네수엘라에 입국했다는 정보가 뜨면 외교부에 팩스가 바로 간다고 했다. 베네수엘라를 벗어난 한참 뒤, 에콰도르에 체류하고 있을 때 다른 여행자로부터 베네수엘라에 폭동이 일어났다는 소식을 들었다. 휴지와 같은 생필품조차 부족하게 되어 콜롬비아에서 겨우 구한다는 말을 듣고는 가슴을 쓸어내린 기억이 난다. 만약 조금이라도 늦게 여행을 시작했더라면 어떤 상황에 부닥쳐 있을지 상상만으로도 아찔하다.

남미 여행 카페에는 나라별로 정보를 편리하게 찾을 수 있도록 게시판이 나뉘어 있다. 다른 나라들은 2013년에 작성한 글을 보려면 적게는 50페이지 많게는 100페이지 가까이 뒤로 넘어가야 하지만 베네수엘라는 단 5페이지만 넘겨도 당시 내가 쓴 글을 찾을 수 있다.

이런 위험한 곳을 겁 없이 무모하게 돌진했던 이유는 단 하나, 바로 신의 탁자라고 불리는 '로라이마'를 등반하기 위해서이다. 사실 당시에는 앞서 나열한 무시무시한 위험 요소에 큰 관심이 없었다. 아니 그렇다기보단 눈에 들어오지 않았다는 게 더 맞는 표현인지도 모른다. 현실 세계에서 무슨 일이 벌어지고 있든 간에 강한 의지로 꿈을 향해 달려가는 데 온 신경을 집중할 뿐이었다.

로라이마는 베네수엘라와 브라질, 가이아나 3개국의 국경에 걸친 기아나 고지에 있는 테푸이(Tepui) 중 가장 높은 해발 2,810m의 산이다. 우리나라의 백두산보다 조금 더 높은 정도라고 생각하면 된다.

영국의 식물학자 임 투른이 로라이마를 조사하고 귀국한 후 촬영한 사진을 이용하여 강연회를 열었는데 청중에 있던 한 작가가 그 풍경에 감격하여 소설의 배경으로 착안하였다. 그 작가는 세계적으로 유명한 추리작가 코난 도일이고, 소설의 제목은 〈잃어버린 세계〉이다. 또한, 픽사 애니메이션 〈업〉의 배경이 되기도 했는데, 로라이마가 애니메이션으로 표현되니 더욱 판타지스러운 미지의 세계 같았다.

로라이마를 신의 탁자라고 부르는 이유는 심플하다. 산 모양이 직사각형으로 정상이 넓고 평평한 땅으로 되어있다. 엄청난 크기의 탁자 모양 산을 처음 보았을 때 충격을 잊지 못한다. '세상에 이런 산이 있다고?' 사진임에도 그 영험한 기운이 스산히 느껴졌다. 무대 효과처럼 산허리에 걸쳐진 하얀 구름이 신비로움을 더해준다. 로라이마 주변은 다양한 크기와 모양의 테푸이 수백 개가 펼쳐져 장관을 이룬다.

순간적으로 뜨거운 불길이 '탁!'하고 지펴졌다. 로라이마 정상 위에 있는 내 모습을 그려보니 너무나도 멋질 것 같았다. 심장이 빠르게 두근거리기 시작했다. 하지만 단순히 산에 올라가는 것에 그쳤더라면 이토록 도전 의지가 불타지 않았을 거다. 이 산을 오르기 위해서는 오로지 5박 6일 트래킹 코스로 이동해야 한다는 글을 읽고는 더욱 내 마음에 불이 활활 타올랐다.

'이거다!'

배낭여행을 통해 기대했던 것 중 하나는 나의 육체적 한계를 확인할 기회가 생긴 거라 할 수 있겠다. 몇 년 전 눈 오는 날 한라산을 등반했던 경험을 통해 내가 꽤 고생스러운 일을 잘 참고 버틴다는 걸 알게 되었다. 물론 그때는 생각지도 못하게 눈이 내리게 되면서 울며 겨자 먹기로 등반했지만 말이다. 어찌 되었든 그런 터라 배낭여행에서 맞닥뜨리게 되는 힘든 나날도 굳세게 이겨낼 수 있는 강인함이 있지 않을까 하는 기대를 했다. 그리고 그걸 확인할 수 있는 상징적인 장소로 모험심을 강하게 자극하는 신비로운 로라이마가 아주 적격이었다.

2

차베스 대통령의 죽음과 함께 폭동의 첫 시작점인 2013년 5월, 베네수엘라에 처음 발을 들였다.

브라질 상루이스에서 비행기로 아마존이 있는 마나우스를 거쳐 국경과 가장 가까운 도시 보아비스타에 도착했다. 공항에서 뜬눈으로 날을 새고 아침 일찍 버스로 국경 마을 파카라이마로 향했다. 특이하게도 브라질에서 베네수엘라로 넘어가는 건 오로지 택시만 가능하다.

상루이스에서 출발할 때부터 비가 쏟아졌다가 그치기를 반복하여 하늘이 우중충했다. 좁은 도로를 열심히 달리던 택시가 멈춰서고 처음 마주한 베네수엘라 출입국 관리사무소는 '설마… 여기?'라고 생각될 정도로 아주 아담하고 허술했다. 긴 창을 든 문지기가 철벽 방어를 하는 모습을 기대한 건 아니었으나 적어도 자신의 영토에 넘어올 낯선 이에 대한 엄격한 통제가 있을 거라 예상했기에 적잖이 당황스러웠다.

건물 안으로 들어가 보니 한 직원이 책상 하나를 두고 앉아 있었다(딱 그 정도의 크기이다). 이런 터라 위압감이 느껴지지 않아 마음은 놓였지만, 기사님이 실수로 잘못 내려준 게 아닐까 하는 합리적인 의심이 들어 살짝 불안해졌다.

직원은 어떠한 경계심도 없이 나를 쓰윽 올려다봤다. 그렇다고 딱히 환영하는 표정도 아니다. 그녀는 나에게 딱 두 가지 질문만 했다. "직업이 뭔가요?", "여기는 왜 왔나요?" 나 역시 간단하게 답했다. "학생입니다.", "배낭 여행하러 왔어요." 대답이 끝나기도 전에 그녀는 입국 도장을 쾅- 하고 찍어주었다. 난생처음 육로로 국경을 넘는 터라 잔뜩 긴장했던 게 허무해졌다.

택시는 로라이마 트레킹의 출발지인 산타엘레나에서 멈춰 섰다. 인터넷에서 찾아본 정보로는 포사다 미쉘과 백패커스라는 두 호스텔에서 로라이마 투어를 신청할 수 있다. 두 호스텔의 싱글룸 가격은 같으나 투어비는 백패커스가 조금 더 비싼 터라 기사님께 포사다 미쉘로 가달라고 말씀드렸다.

기사님은 처음 듣는 이름인지 갸우뚱하시더니 길을 가던 사람을 불러 세워 위치를 물어보셨다. 행인의 설명을 듣고는 금방 숙소 앞까지 무사히 도착했다. 국경을 넘는다는 큰 부담감으로 '혹시 택시 기사가 나쁜 사람이면 어쩌지?'라는 걱정에 좌불안석이었으나 이렇게 안전히 목적지까지 내려준 기사님이 웃으며 인사해주시니 방금 전까지 의심한 게 너무나도 죄송해졌다. 더욱 밝고 큰 소리로 "Gracias!(감사합니다)"하고 인사했다.

포사다 미쉘에 잠시 짐을 내려놓고 환전하기 위해 호스텔 직원이 알려준 거래 장소로 향했다. 베네수엘라는 반드시 암거래로 환전해야 하는데 그 이유는 공식 환전소를 이용하면 10배 가까이 어마어마하게 환율 차이가 나버려 엄청난 손해를 보기 때문이다. 처음에는 암환전상과 거래해야 한다는 게 영 찜찜했다. 상상 속 암환전상은 아주 음침한 표정에 어두운 뒷세계 세력과 결탁할 것만 같았다. 하지만 이번에도 예상은 빗나갔다.

호스텔 직원이 알려준 거리로 들어서자, 앞으로 보나 뒤로 보나 누가 봐도 여행자인 나에게 암환전상들이 하나둘씩 모이기 시작했다. 그들은 서비스 마인드를 장착하고 활짝 웃으며 "아리가또~ 깜비오(cambio, 환전)?"라는 말을 앵무새처럼 반복했다(남미에서는 동양인만 보면 일본인이라고 생각한다). 그도 그럴 것이 좁은 거리에는 암환전상이 발 디딜 틈 없이 쫙 깔려 있어 나를 둘러싼 그들의 경쟁률이 매우 치열했다. 이렇게 누군가의 뜨거운 구애는 받은 적은 없는데…. 무작정 자신을 따라오라 손짓하는 무례한 사람도 있어 깐깐한 표정을 지으며 무시하고 더 안쪽으로 당당하게 파고 들어갔다.

처음에 거래를 시도했던 환전상이 1달러에 20볼리비아르를 불러 이를 기준으로 여러 환전상을 거치며 네고한 덕에 최종적으로 23.5 볼리비아르로 환전하게 되었다. 내가 거래를 한 환전상은 나이가 40~50대로 보이며 진중한 인상에 짙은 콧수염을 가졌다. 그는 방금까지 지나쳤던 다른 환전상들과는 달리 가벼워 보이지 않아 신뢰가 갔다. 그리고 수습생으로 보이는 내 또래의 남자가 옆에 찰싹 붙어있어 신뢰도가 더욱 상승했다. 수습생이 있을 정도라면 프로라는 의미이니까. 물론 썩 좋은 쪽으로 프로라 할 수 없지만.

그는 바로 옆에 있는 가게로 나를 불러들였고 그것도 모자라 커튼이 쳐진 깜깜한 곳으로 더 들어가 은밀하게 거래했다. 항상 대충대충 넘어가는 나이지만 돈을 셀 때만큼은 아주 야무지고 꼼꼼해진다. 어두운 공간 속 암환전상 두 사람과 함께하니 왠지 영화 속 한 장면 처럼 스릴 넘친다. 지폐가 엄청나게 두꺼워져 살짝 긴장감이 느껴졌다. 환전상이 안전하게 돈을 분산해서 보관하라고 하여 이곳저곳 주머니에 쑥 넣었다. 그리고 황급히 빠른 발걸음으로 숙소를 향했다. 돌아가는 길에서도 여전히 환전상들이 웃는 얼굴로 "아리가또~" 라며 다가와, 겨우 뿌리치면서 걷고 또 걸었다.

베네수엘라에서 암환전 하기~

3

로라이마 트래킹은 멤버가 모두 모이면 가이드 한 명, 짐을 옮기는 포터 두 사람이 붙어 함께 움직인다. 팀에 있는 사람 수만큼 비용을 나누게 되니 가능한 사람을 많이 모으는 게 좋다.

포사다 미쉘에 막 도착했을 때만 해도 함께 트레킹을 할 동료들이 손을 흔들며 밝게 맞이해주는 장면을 상상했다. 하지만 숙소는 오랫동안 손님이 방문하지 않은 곳처럼 무척 어두컴컴하고 조용했다.

이대로 발이 묶여 며칠 동안 다른 여행자들을 기다리기만 하다가 아무것도 하지 못한 채 돌아가게 되면 어쩌나 걱정됐다. 환전하고 다시 숙소로 돌아가는 길에도 희망을 놓지 않으며 그사이에 단 한 명이라도 와있길 기대했으나 여전히 숙소는 고요할 뿐이다. 오히려 한층 더 어두워진 느낌인 것 같기도 하다. 때마침 포사다 미쉘의 주인장이 나에게 다가왔다.

"알아보니 백패커스에 사람이 두 명 있다고 하는데 거기로 가보는 건 어때요?"

그의 말은 눈이 번쩍 뜨이게 했다. 동시에 '보통은 이런 정보는 안 알려주지 않나?' 하는 생각에 의아했다. 이렇게 순순히 나를 보내주는 건 어쩌면 처음 인사를 하고선 다짜고짜 로라이마 트레킹을 신청한 사람이 몇 명인지 기대에 찬 표정으로 물어보았던 것 때문이 아닐까. 주인장의 눈에 아주 간절해 보였나 보다. 아니면 아무도 오지 않았다는 그의 대답에 눈에 띄게 풀이 죽은 모습이 안타까우셨는지도 모른다.

아직 완전히 짐을 푼 건 아니었지만 이대로 떠나도 되는지 신경이 쓰였다. 하지만 내 움직임에는 조금의 망설임도 없다. 나의 목적은 로라이마에 오르는 것. 로비에 있는 가방을 냉큼 둘러멨다. 고개를 연신 숙이며 “Gracias! (감사합니다) Gracias! (감사합니다)” 인사하며 백패커스로 향했다.

백패커스는 포사다 미쉘에서 멀지 않은 곳에 있어 금방 이동해 방에 짐을 풀고 침대로 다이빙 할 수 있었다. 이곳도 쥐 죽은 듯 조용해 포사다 미쉘과 다를 바 없다. 불길한 예감이 들었으나 아마 잠깐 외출했을 거라 생각하며 백패커스에 딸린 레스토랑에 내려와 베네수엘라에서의 첫 끼니로 샌드위치와 주스를 주문했다. 확실히 브라질보다는 물가가 싸다.

음식을 거의 다 먹고 수첩에 방금 먹은 음식값을 적고 있는데(여행 초기에는 꼼꼼하게 가계부를 작성했다), 누군가가 맞은편 의자에 앉는 인기척이 느껴졌다.

고개를 드니 한 남자가 제 자리인 양 아주 자연스럽게 앉아 있었다. 한국에서는 모르는 사람의 테이블에 앉는 경우가 없으니(그것도 어떤 허락도 구하지 않고) 무척 당황스러웠다. 이때만 해도 여행 초기라 낯선 사람과 소통하는 방법을 알지 못했다. 여행에서 새로운 누군가를 알아가는 속도는 일상과 비교할 수 없을 만큼 빠르고 갑작스럽다.

어떤 반응을 보여야 할지 몰라 두 눈만 깜빡이며 그를 바라보기만 했다. 정작 당사자는 고개를 돌려 여유롭게 먼 곳을 응시하고 있다. 그는 짙은 갈색 단발머리에 푸른 눈을 가진 잘생긴 남자였다. 묘하게 반지의 제왕에 나오는 아라곤을 연상시켰다. 침묵이 길어지자 아무 말이라도 해야 할 것 같아서 할 말을 열심히 생각해내는

데 그가 갑자기 나를 향해 고개를 홱- 돌렸다.

"안녕? 넌 어디서 왔니?"

"안녕…? 난 한국에서 왔어."

"난 영국. 알레한드로야."

"난 지현."

그는 거침없이 불쑥 다가오는 적극적인 면모에 비해 무표정에다가 차가운 인상이었다. 그다지 외향적이거나 활달한 것 같지 않았다. 서로 간단한 소개를 마치자 또다시 정적이 흘렀다. 어색한 분위기가 한참을 이어지는데 갑자기 뒤쪽에서 밝은 목소리가 들렸다.

"안녕! 난 클라우디오야. 여기서 혼자 여행하는 사람은 너밖에 못 봤어!"

그 역시 옆자리에 자연스럽게 앉았다.

"안녕. 난 지현. 반가워."

"얼마나 여행하는 거야?"

"난 4개월 정도 남미를 여행할 생각이야."

"우와! 정말 용감하네!"

클라우디오는 쾌활한 표정으로 엄지를 척 들어 올렸다. 남미 사람들은 엄지를 올리는 제스처를 많이 쓴다. 알고 보니 클라우디오는 베네수엘라 사람이고, 알레한드로는 칠레 사람이지만 현재는 런던에 거주 중이다. 이들은 여행차 남미로 왔다고 했다. 붙임성 좋고 친절한 두 사람과 5박 6일의 여정을 함께 하는 건 꽤 즐거울 거란 생각이 들었다. 하지만 아쉽게도 이들은 다른 일정이 있어서 내일 간단한 투어만 하고 이곳을 떠난다고 했다. '여기까지 와서 로라이마를 건너뛰다니!'라는 생각에 놀랐지만, 이들은 엄청난 결심을 하고 남미에 와야 하는 나와 처지가 다르다.

다음 날 아침 포사다 미쉘 옆에 붙어있는 작은 가게에서 아침 식사 대용으로 요거트 사는 도중 또다시 어디선가 알레한드로가 불쑥 나타났다. 그는 나를 놀라게 하는 재주가 있다. 그는 오늘 투어를 할 건데 함께하지 않겠냐고 물었다. 나는 크게 고민하지 않고 합류하겠다고 했다. 여전히 로라이마 트레킹 멤버가 한 명도 오지 않은 상황에서 숙소에서 지루한 시간을 보낼 바에는 뭐라도 하는 게 낫다.

알레한드로가 알려준 시간에 맞춰 약속 장소로 가니 40대 중반 정도의 여자 투어가이드와 새로운 여행자 한 명이 보였다. 그는 싱가포르에서 왔고, 자신을 Alone(알롱)이라는 닉네임으로 소개했다. 그는 작은 체구에 비해 큰 카메라를 손에 쥐고 있었는데 닉네

임처럼 홀로 홀연히 사라졌다가 다시 돌아왔을 땐 내가 찍은 사진보다 50배 이상 멋진 사진을 가지고 온다. 남미에 있으니 외적으로 유사하다는 이유만으로 아시아인에게 친밀감을 느끼게 된다. 그 역시 나처럼 로라이마 트레킹을 위해 다른 사람들을 기다리던 중이었다고 하여 더욱 가깝게 느껴졌다.

투어는 간단하다. 차를 타고 브라질로 넘어가 테푸이를 멀리서 쭉 둘러보는 거다. 물론 중간에 계곡이나 폭포를 구경하기도 하지만 메인은 역시 테푸이다. 국경을 넘기 때문에 여권 확인과 간단한 짐 검사가 있을지도 모른다고 했다. 검문한다고 하니 괜히 긴장되어 의심을 살 물건은 없는지 가방 속을 몇 번이고 확인했다. 예상대로 국경 경찰이 차를 세웠으나 다행히 여권이나 짐을 검사하는 절차 없이 가이드가 제시한 신분증만 확인하고 바로 통과시켜 주었다.

우리는 뻥 뚫린 끝이 보이지 않는 도로를 매끄럽게 내달렸다. 하늘을 올려다보니 푸른 하늘에 새하얀 구름이 가득 차 두둥실 떠올라 있다. 이렇게 긴 도로를 달리니 이미 먼 길을 떠나왔는데 더욱 먼 길을 떠나는 기분이다. 한창 달리는 도중 주위가 조금 어두워졌다 싶어 바깥을 내다보니 새파랗던 하늘은 온데간데없고 우중충한 어두운 구름이 머리 위에 무겁게 자리 잡고 있었다. 그란 사바나 지역은 열대우림 기후라 날씨가 변덕스럽고 비가 자주 내린다.

쌩- 쌩- 잘 달리던 차가 도로 중간에 갑자기 멈춰 섰다. 다른 사람들이 자연스럽게 내리길래 '무슨 문제가 있나?' 어리둥절해하며 따라 내렸다. 주변에는 서부영화에서 본 듯한 황량한 대지가 펼쳐져 있을 뿐이다. 누군가 손가락으로 허공을 향해 가리키며 "저것 좀 봐!"라고 소리쳤다. 그것은 커다란 구름이 걷히면서 서서히 그 존재를 드러냈다.

테푸이를 실제로 보면 그 멋진 경관에 크게 감탄할 거라 상상했는데 막상 눈앞에 마주하니 당황스러울 정도로 '낯설다'는 느낌을 받았다. 구름이 더 걷어지자 하나둘씩 나타나는 테푸이들은 각기 다른 크기와 모양으로 나열되어 있었다. 마치 낯선 존재가 네모반듯한 돌덩이를 툭, 툭 놓고 간 것처럼 이 세상과는 이질적이었다. '이런 게 왜 여기에 있는 거지?'라며 갸우뚱할 정도로. 그 광경은 신비로우면서도 이상하게 두려움을 일으켰다. 외계인을 보게 된다면 지금과 비슷한 느낌을 받게 될 것 같다. 한동안 우리는 아무 말 없이 테푸이를 바라보았다.

투어가 끝나고 클라우디오와 알레한드로는 8시 버스로 앙헬 폭포가 있는 시우닷 볼리바르로 넘어간다고 하였다. 두 사람은 짐을 챙기고, 나와 알롱은 6시에 포사다 미쉘과 연계된 투어 회사의 프란시스코씨를 만난 뒤 다같이 저녁을 먹기로 했다. 포사다 미쉘 앞에서 프란시스코 씨를 기다리는데 어느새 칠레에서 온 조나단도 우리와 나란히 앉아 그를 기다렸다. 순식간에 트레킹 멤버가 세 명이 되었다.

프란시스코 씨는 어제 나와의 약속을 어겨 만나지 못했는데 이번에도 역시 한참을 기다려도 모습을 보이지 않았다. 때마침 백패커스 투어 관계자인 에릭이 와서 우리에게 손짓했다. 그를 따라 사무실로 들어가 보니 여자 두 명이 더 있었다. 이들은 미국에서 온 민과 홀리이다.

에릭은 로라이마 트레킹에 대해서 그림까지 그리며 꼼꼼히 설명해주었다. 알롱은 작은 목소리로 "독일인이라 신뢰가 가."라고 속삭였다. 무엇보다 마음에 드는 건 채식 요리를 먹을 수 있다는 거다. 남미는 여러 국적의 다양한 사람이 방문하는 여행지인 만큼 어디에서나 채식인을 위한 식단이 있어 큰 불편함을 없이 여행할 수 있다. 우리는 만족스러운 표정으로 에릭과 악수를 하며 내일 아침 10시에 계약을 마무리하고 바로 트레킹을 떠나기로 정했다.

다시 클라우디오와 알레한드로와 만나 알롱, 조나단과 다 함께 저녁 식사를 했다. 두 사람은 금방 떠나야하기 때문에 간단히 저녁을 먹기 위해 포장마차 같은 천막 아래 샌드위치를 종류별로 파는 곳으로 갔다. 식사를 마친 클라우디오는 자신은 베네수엘라에 좀 더 머물다 가니 도움을 청할 일이 있으면 언제든 전화해라며 번호를 알려주었다. 그리고 나를 살짝 안으며 인사했다. 그리고 무뚝뚝한 알레한드로 역시 스윽 다가오더니 "조심히 여행을 잘해."라며 악수를 청했다. 우리는 서로의 여행에 행운을 빌어주었다. 여행에서는 만남도 헤어짐도 너무나도 빠르다.

MIRADOR EL OSO
POZO AZUL

다음 날 아침 약속된 시간에 계약을 하러 갔는데 사무실 주변이 북적북적했다. 새로운 얼굴들이 많이 보여 깜짝 놀랐다. 기존 멤버에다가 밴쿠버에서 온 앤드류, 일본에서 온 사쿠, 기아나 프랑스에서 온 스테파니와 그녀의 친구(이야기를 한 번도 제대로 하지 못해 이름이 기억나질 않는다)까지 총 9명의 멤버가 모였다. 다들 어디에 있다가 당일에서야 이렇게 한꺼번에 나타난 건지 모르겠다. 구름이 걷혀 숨겨져 있던 테푸이가 모습을 드러내듯 갑작스럽게 눈앞에 나타났다.

고난을 통해 얻게 되는 것

배낭여행자는 편히 갈 수 있는 길을 마다하고 자처해서 힘든 길로 돌아간다. 그리고 위험해 보이고 고생스러운 일이 있다면 그냥 지나치지 못하고 발걸음을 멈춰 선다. 그래서 구태여 트레킹 같은 걸 신청하는 거다.

물론 트레킹을 하는 이유를 묻는다면 '그곳에만 존재하는 멋진 풍경을 보기 위해서'라고 간단하게 주장할 수 있다. 하지만 그것만으로는 설명이 부족하다. 그런 풍경은 굳이 산을 오르고 구르지 않아도 충분히 가능하기 때문이다. 괜한 힘을 빼는 대신 즐길 수 있는 다른 방법이 많다. 가령 멋진 뷰가 한눈에 보이는 스팟 앉아서 따뜻한 차나 와인을 마시며 여유롭게 풍경을 눈에 담을 수 있다. 혹은 영화 속 한 장면처럼 헬기를 빌려 거대한 산을 크게 빙 둘러 봐도 멋질거다. 그편이 풍경을 담기에 적격이다. 실제로 로라이마에 헬리콥터를 타고 관광을 하는 사람들도 꽤 있다고 한다.

나는 배낭여행자가 돈이 없어 어쩔 수 없이 고생한다고 생각하지 않는다(물론 나를 포함하여 사정이 여의찮은 배낭여행자가 많지만). 이들은 다른 선택지가 있는 걸 알고 있음에도 자발적으로 트레킹에 참여한다. 단순히 보는 것과 온몸으로 느끼고 경험하는 건 다른 차원이라는 걸 알고 있기 때문이다.

다른 배낭여행자들은 어떤 이유에서 산을 오르는지 정확히 알지 못한다. 어떤 성취감이나 카타르시스를 얻고자 할 수 있고 아니라면 단순히 재미와 즐거움을 추구할 수도 있다. 혹은 일종의 수행으로 몸과 정신을 단련하기 위해서 일지도 모른다. 우선 나부터 산에 오르는 이유를 설명하자면 나의 육체적 한계를 시험하고 싶다는 게 가장 크다. 나에게 어떤 강인한 힘이 있는 걸 기대하는거다.

하지만 그곳으로 발을 들여놓는 순간 그 이유 같은 건 새하얗게 잊어버린다. 자신을 시험하고 싶다는 생각에 스스로 선택했다고 느끼다가도, 의지와는 전혀 상관없이 설명할 수 없는 강렬한 이끌림이 있었던 것 같기도 하다. 턱 끝까지 차오르는 숨에 허덕일 때도, 산 중턱에 걸터앉아 꿀맛 같은 휴식을 취할 때도, 동료가 건넨 물을 마실 때도 '나는 왜 이곳에 있는 거지?'라는 생각이 끊임없이 든다. 그 어떤 이유든 간에 발을 들여놓은 이상 끝을 봐야 한다.

첫째 날

로라이마 트레킹 멤버들은 서로 간단한 통성명을 하고, 국적만 밝힌 채 곧장 흰 지프에 몸을 실어야 했다. 해가 지기 전에 베이스캠프에 안전하게 도착해야 하기 때문이다. 차 한 대에 9명이나 되는 사람이 모두 탈 수 있을까 걱정했으나 막상 문을 열어보니 뒷공간이 꽤 널찍했다. 그렇다고 넉넉하다고는 할 수 없었기에 우리는 착착 밀착된 채로 앉아 출발해야 했다.

나는 사람과 가까워지는 데 시간이 꽤 걸리는 편이라 좁은 공간에서 낯선 이들과 다닥다닥 붙어 있는 게 영 불편했다. 여행을 떠나기 전에 가장 걱정된 건 영어 실력보다는 '친화력'이었다. 여행 에세이를 읽다 보면 외국인들과 오래 알고 지낸 친구처럼 밝은 표정으로 어깨동무하는 사진을 쉽게 발견할 수 있다. 그 자리에 활짝 웃는 나를 대입 하기란 영 쉽지 않다. 6일 동안 어떻게 이들과 가까워질 수 있을지 미지수이다. 이곳에서 나이가 가장 어리기도 하여 더욱 사람들에게 다가가기가 어렵다. 차 안에는 스페인어와 영어가 활기차게 오갔으나 나 혼자 구부정한 자세로 조용히 앉아 있다.

이런 어색한 분위기가 채 익숙해지기도 전에 차가 멈춰 섰다. 어느새 차로는 들어갈 수 없는 지점에 도착한 것이다. 각자 자기 배낭을 챙겨 어깨에 메고 내렸다. 우리의 눈앞에 수풀 사이로 기다란 길이 로라이마까지 이어져 있다. 마치 파울로 코엘료의 〈연금술사〉 표지처럼 피라미드로 향하는 길처럼 보인다.

얼마 걷지 않았음에도 배낭의 무게가 서서히 묵직하게 느껴졌다. '하…. 이걸 짊어지고 무사히 다녀올 수 있을까?' 하고 걱정하는 것도 잠시, 바로 옆에서 포터가 자신의 키만큼 짐을 쌓아 매는 걸 보고는 그런 어리광 섞인 칭얼거림이 쏙 들어가 버렸다. 그의 짐에는 우리 모두가 먹을 음식과 조리기구가 포함되어 있다.

우리는 각자의 속도에 따라, 그러나 너무 멀어지지 않는 보폭으로 로라이마를 향해 걸었다. 로라이마와 쌍둥이 산이라 불리는 쿠케난이 함께 붙어있어 더 거대한 부피감으로 위엄을 뽐낸다. 구름이 산의 주위를 감싸고 있어 신비로움이 더욱 가미되었다. 구름 사이로 아른거리는 로라이마가 얼른 이곳으로 오라며 손짓하는 것만 같다.

무성한 수풀 사이 황량해 보이는 기다란 길 하나. 그 끝에는 내가 꿈꾸던 로라이마가 기다리고 있다. 하늘이 구름으로 가득 차 햇빛이 강하지 않아서 다행이다. 언제부턴가 자외선에 굉장히 약해져 강한 햇빛에 조금만 노출되어도 기운을 몽땅 빼앗겨 버린다.

우리는 따로 또 같이 길을 걸었다. 나는 일본인 사쿠와 함께 걷다가 혼자 걸었다. 그러다 미국에서 온 민과 알리와 함께 걷다가 또 다시 혼자 나아갔다. 스페인어를 거의 못 하는 나는 포터와 눈이 마주치면 어색하게 웃기만 했다. 가끔 엄지를 척 올리며 서로 응원하기도 하며 부지런히 걸었다.

사쿠는 내가 사는 고향의 조선소에 업무차 세 번 정도 방문한 적이 있다고 했다. 그는 철강 회사에서 일을 했으나 지금은 그만두고 세계여행 중이다. 세 번씩이나 나의 작은 고향에 방문한 일본인을 로라이마 트레킹 멤버로 만나게 될 줄이야. 엄청난 인연이구나! 그는 다부진 몸에 턱수염을 살짝 길렀고 눈빛이 또렷하여 한눈에 강인하고 건강한 사람이라 느껴졌다.

일본인은 영어 발음이 안 좋다는 편견을 가지고 있었는데 그의 유창한 영어 실력에 깜짝 놀랐다. 그는 한국인과 생김새가 비슷하여 처음 봤을 때 긴가민가하며 '한국말로 인사를 해야 하나?'하고 머뭇거려야 했다. 반대로 그는 나를 보며 '일본인이 아닐까?'라고 생각했다고 하여 조금 우스웠다.

종종 리더가 나에게 다가와 컨디션이 괜찮은지 살펴봐 주었다. 그는 키는 작지만 단단한 몸에 우직한 인상의 남자이다. 그는 언제나 친근하게 멤버 한명 한명에게 관심을 가지며 다가갔고, 쾌활하게 에너지를 북돋아 주며 그룹을 이끌었다.

길은 평지라 걷는 데 큰 무리는 없다. 문제는 시간이 갈수록 돌덩이가 하나씩 추가되는 것처럼 배낭이 점점 무겁게 느껴지는 데 있다. 내다 버릴 수도 없는 노릇이니 이를 악물고 버티는 수밖에.

베이스캠프에 도착하기까지 총 네 시간 반이 걸렸다. 주위를 둘러보며 내가 가장 늦지 않았다는 걸 확인하고는 크게 안심했다. 아무도 그렇게 생각하지 않겠지만, 이 그룹에서 가장 손이 많이 가는 멤버가 되는 건 정말이지 사양하고 싶다.

베이스캠프는 풀 한 포기 없는 휑한 공터에 다 쓰러질 것 같은 나무로 만든 집 하나가 덩그러니 있었다. '이 한두 평 남짓한 집 안에서 다 같이 잘 수 있을까?'라는 의문을 가지던 차에 포터들이 아주 능숙하게 오두막에서 텐트 여러 개를 꺼내 공터에 착착 세워 올렸다. 텐트는 성인 두 명이 딱 붙어 잘 수 있을 정도로 작았다.

오두막집 바로 옆에는 기다란 탁자와 의자가 있었다. 다들 지쳐서 주변에 짐을 대충 풀어놓고 옷가지와 배낭은 지붕 아래에 대롱대롱 걸어 놓았다. 우리는 의자에 앉아 시원한 물을 마시며 피로를 풀었다. 나는 바리바리 싸 온 그레놀라 하나를 단숨에 먹어 치웠다. 포터는 어느새 요리사로 탈바꿈하여 우리를 위한 저녁 식사를 준비해주었다. 비록 핫케이크와 초코맛이 거의 안 나는 밍밍한 코코아였지만 지칠 대로 지친 우리에게는 고급 요리가 부럽지 않을 정도로 맛있었다.

이 길 끝에 로라이마가!

로라이마에서 먹은
다양한 먹거리~

어느새 베이스캠프에 칠흑 같은 어둠이 찾아왔다. 우리는 랜턴을 켜고 식탁에 옹기종기 모여 앉았다. 서로 사는 곳도 다르고 언어도 다른 사람들이 모여 이런 멋진 경험을 함께 한다는 게 새삼 신기하게 느껴진다. 스쳐 가는 인연이 될지 오래 함께하는 인연이 될지 모르겠지만, 중요한 건 5박 6일간 동고동락하며 소중한 순간을 함께 나눈다는 것이다.

오래 앉아있었더니 몸이 찌뿌둥하여 주변을 휘적휘적 걷는데 사쿠의 손가락 끝이 하늘을 가리켰다. 주변에 다른 사람들도 고개를 들고 하늘을 뚫어지게 바라보고 있었다. 고개를 들어 하늘을 올려다보니 까만 밤하늘을 보석같이 반짝이는 별들이 빼곡하게 채우고 있다. 입이 다물어지지 않을 만큼 수많은 별로 가득하다.

마치 우주에 있는 듯한 환상적인 기분이 들다가도 내게로 별이 무더기로 쏟아져 내릴 것만 같아 두렵기도 했다. 시간이 멈춘 것처럼 목이 아픈 줄도 모르고 한동안 그 자리에서 움직이지 못했다. 사쿠가 다가와 "우유니 사막에서도 이런 멋진 밤하늘을 볼 수 있을 거야."하고 귀띔해 주었다. '다시 한번 멋진 밤하늘을 볼 수 있다니!' 너무나도 기뻤다. 별빛을 두 눈 가득 담으며 나도 모르게 미소가 지어졌다.

차갑고 습한 아침 공기로 가득한 텐트 안에서 눈을 떴다. 여름이라 못 견딜 정도의 추위는 아니었지만, 선뜻 몸을 일으키기는 힘들다. 어제의 피로가 채 풀리지 않았나 보다. 오래된 침낭에다 기능을 제대로 하지 못하는 얇은 매트를 깔고 잤으니 그럴 만도 하다.

포터가 마련해준 작은 텐트에는 남자 둘, 여자 둘씩 짝을 맞춰 들어갔다. 9명이라 짝이 맞지 않은 나는 혼자 텐트를 사용할 수밖에 없었다. 밤사이 산짐승이 내려온다면 꼼짝없이 당할 수도 있다는 생각에 조금 무서웠지만, 텐트 안에 들어가 보니 1인용이라 해도 무방할 정도의 작은 크기임을 확인하고는 혼자 쓰는 게 그리 나쁘진 않을 것 같다는 생각이 들었다.

텐트 너머로 사람들의 목소리가 간간이 들려온다. 한가롭게 이야기를 주고받는 걸 보니 늦게 일어난 건 아닌가 보다. 조금만 더 자면 피로가 풀릴 것 같아 다시 잠을 청하려 했으나 결국 빈 허공을 보며 눈만 깜빡거리다가 몸을 일으켰다. 별생각이 없다가도 문득 이곳이 남미라는 낯선 곳이라는 걸 자각하는 순간이 찾아오는데, 그럴 때면 쉬이 마음을 놓을 수 없다.

겨우 몸을 일으켜 텐트에서 나왔는데, 눈앞에 보이는 광경에 경악할 수밖에 없었다. 수백 아니 수천 마리의 개미가 커다란 마당을 모두 점령하고 내가 있는 텐트로 진격하고 있었다. 깜짝 놀라 얼른 신발을 챙겨 신고는 사람들이 모여있는 탁자로 내달려 갔다. 일찍이 일어난 부지런한 친구들이 태연하게 웃으며 "Good morning.", "Buenos dias."하고 반갑게 맞이해 줬다. 알고 보니 이들도 한바탕 소동을 일으킨 뒤였다.

어제까지만 해도 움직이는 생물체는 찾아볼 수 없는 허허벌판이었는데 어디서 이 많은 개미들이 갑자기 나타난 걸까? 새까만 개미 떼가 같은 방향으로 기어가는 모습이 참으로 기이했다. '도대체 어디로 가는 거지?' 어느새 개미 떼들이 곤히 잠들어 있는 다른 동료들의 텐트를 습격하려 하자 다시 마당 안으로 원숭이처럼 폴짝폴짝 뛰어 들어가 텐트를 흔들며 호들갑스럽게 잠을 깨웠다. 그 모습이 꽤 재미있었는지 등 뒤에서 큰 웃음소리가 들렸다.

시간이 조금 흐른 뒤에야 놀란 가슴을 가라앉힐 수 있었다. 안정을 되찾고서야 로라이마를 제대로 마주했다. 아침의 로라이마는 여전히 근사하다. 낮과 밤 그리고 아침에 보는 로라이마는 모두 다른 모습으로 매력적이다. 낮에는 활기찬 에너지가 샘솟아 나오고, 밤에는 별들과 어우러져 아름다운 작품이 된다. 그리고 아침은 고요한 적막 속에서 더없이 신비롭고 고고하다. 따뜻한 커피 한잔이 있었다면 더욱 완벽했을 거다.

베이스 캠프에서 본 로라이마와 무지개

이런 순간이 소중한 걸 모두가 잘 알고 있다는 듯 서로 웃으며 이야기를 나누다가도 이따금 고개를 돌려 로라이마를 가만히 응시했다. 눈부신 아침햇살이 우리를 따사롭게 비춘다.

우리는 요리사(겸 포터)가 준비한 간단한 아침 식사를 마치고 짐을 챙겼다. 떠나기 전에 다 같이 사진을 찍자는 제안에 모두 흔쾌히 좋다고 했다. 로라이마를 배경으로 멋지게 사진을 찍으려고 하는데 하필 역광이라 모두 얼굴에 어둡게 그늘이 져 있어 마치 위험한 전장으로 떠나기 직전의 전사들처럼 나왔다. 차선책으로 로라이마 바로 옆에 있는 쌍둥이인 쿠케난을 배경으로 다시 사진을 찍었다.

쿠케난 역시 테푸이기에 이 사진을 보여주며 로라이마에 등반했다고 말해도 누구나 '그렇구나'하고 수긍할거다. 누군가에게 사진을 보여줄 때마다 역광 때문에 로라이마를 배경으로 못 찍고 어쩔 수 없이 바로 옆에 있는 테푸이를 배경으로 찍을 수밖에 없었노라 구구절절 설명하는 건 피곤하니까.

쌍둥이 산이라고는 하지만 둘의 분위기는 사뭇 다르다. 로라이마가 평평하고 부드러운 인상이라면 쿠케난은 좀 더 각이 지고 강한 인상이다. 모범생 형과 날라리 동생이랄까? 쿠케난은 로라이마보다 낮지만, 절벽이 심하게 나 있어 걸어서 등반할 수 없다고 한다. 암벽을 타던가 헬기로 정상에 오르는 수밖에 없다. 구름이 휘감은 와일드한 쿠케난을 배경으로 찍은 사진 속 우리의 모습은 여느 책 속에 나올법한 모험가처럼 멋졌다.

로라이마가 테푸이 중 그나마 걸어서 등반이 가능한 산이라 하더라도 가이드가 꼭 필요하다. 우선 표지판이 불친절하게 듬성듬성 자리 잡기도 하고(거의 없다고 봐도 무방하다), 길이 어디로 나아 있는지 일반 사람의 눈으로는 알아보기 힘들기에 자칫 길을 잃기 십상이다. 그리고 희뿌연 안개가 시야를 가릴 정도로 심하여 발을 잘못 헛디딜 수 있으니 혼자 등반을 시도하는 건 상당히 위험하다. 타지에서는 도심이라 하더라도 길을 잃으면 잔뜩 긴장되고 불안해지기 마련인데 이런 오지에서는 더욱 패닉 상태가 될 거다. 이곳의 특성상 비가 갑자기 우수수 내리곤 하는데 계곡물이 불어나기라도 하면 순식간에 고립되고 만다.

선두에 선 리더를 따라 우리는 한 줄로 차례로 길을 나섰다. 오늘은 로라이마 바로 아래 도입부까지 가는 일정이다. 산 정상까지 오를 줄 알았던 나는 내심 아쉬웠다. 베이스캠프에서 로라이마를 바라봤을 땐 산 바로 밑까지는 식은 죽 먹기처럼 느껴지기도 했고, 얼른 정상에 오르는 기쁨을 맛보고 싶기도 했다.

그런 나의 거만함을 비웃듯이 로라이마로 향하는 길은 절대 호락호락 않았다. 계곡을 두 개나 건너야 했고 평평할 줄만 알았던 길은 오르락내리락 여러 언덕을 넘어야 했다. 머리 위로는 강한 햇빛이 내리꽂았고 어깨가 떨어져 나갈 것 같은 배낭의 무게에 기진맥진할 지경이다. 그리고 트레킹에 부적합한 나이키 러닝화로 인해 발아래 돌멩이의 각진 부분이 생생하게 느껴진다. 머리 위와 발아래 모두 고통스럽지만 걸음을 멈출 수 없다. 선두에 서고 싶은 욕심도 있었고, 쉬엄쉬엄 쉽게 이곳을 완등하고 싶지 않은 마음이 컸다. 쓰고 나니 어째 쓸데없는 고집 같기도 하다.

그런 내가 안쓰러워 보였는지 앞서가던 조나단이 걸음을 멈춰서 자신의 짐이 가볍다며 바꿔 드는 게 어떻겠냐며 물어봐 주었다. 한

눈에 보기에도 그의 짐은 아주 단출했다. 얇은 비닐 가방에다 부피가 아주 작아 보였다. 그의 가방을 살짝 들어보며 아주 잠깐 흔들렸지만, 정중히 거절했다.

"난 괜찮아. 고마워."

그는 씨익 웃고는 다시 돌아서 앞서 올라갔다. 나 역시 곧바로 뒤따라 걸었다.

그 찰나의 마음을 되돌아보면, 그저 나의 짐은 내가 짊어지고 싶었던 것 같다. 누군가에게 속 편히 내맡기고 싶지 않았다. 그 순간에는 홀가분할지 몰라도 결국 떳떳하지 못하다. 그건 나를 더욱 괴롭게 할 뿐이다. 오래전부터 '무력감'과 비슷한 종류의 감정이 몰아치면 그에 파묻혀 어쩔 줄 몰라 헤매었다. 그래서 이곳에서만큼은 더욱 누구의 도움 없이 혼자 이 짐을 지고 끝까지 완등하고 싶었다. 음… 이 역시 괜한 고집 같기도 하다.

여유로운 어느 날 시우닷 볼리바르의 한 숙소에서 조나단은 그런 나의 태도가 좋아 보였다고 사뭇 진지한 표정으로 말해주었다.

3시간 반 만에 산 아래 뷰포인트에 도착했다. 어제보다 한 시간 덜 걸렸으나 가파른 산길로 인해 더욱 힘들게 느껴졌다. 그에는 뜨거운 햇빛이 크게 한몫했다. 그래도 멤버 중 세 번째로 도착하여 무척 기뻤다. 알롱과 사쿠가 나에게 트레킹을 잘한다며 칭찬해주어 더욱 으쓱해졌다.

주위를 둘러보니 광활한 테푸이가 우리를 둘러싸고 있다. 그 순간 나는 아주 작은 존재처럼 느껴졌다. 깃털처럼 가볍게 만들어 주는 그 느낌이 나쁘지 않았다. 곳곳에 안개가 무겁고 짙게 깔려있는데 덩어리가 꽤 커서 구름처럼 보인다. 어쩌면 구름과 섞여 있는지도 모르겠다. 저 너머 먼 곳에 무지개가 펼쳐져 있고, 절벽 한 쪽에는 아주 기다랗게 폭포가 떨어진다. 대자연 속의 로라이마는 더욱 장엄한 모습으로 나를 내려다본다. 나는 몇 번이고 몸을 한 바퀴 빙 돌려가며 두 발을 디디고 서 있는 이곳을 두 눈에 가득 담고자 했다.

출발하기 직전 정상까지 빨리 오르지 않는 것에 대해 불평했던 나를 반성하게 되었다. 그저 산 정상을 찍고 내려오는 허무한 트레킹을 했더라면 이 멋진 곳을 충분히 느끼지 못한 채 집으로 돌아갔을 거다. 그랬다면 이렇게 로라이마를 추억하지 못했을 테니 이게 얼마나 아쉬운 줄도 모르고 살았겠지.

석양이 천천히 저물고 있다. 저 멀리서 거대한 테푸이를 집어삼키는 어둠이 서서히 다가온다. 다채로운 주홍빛 석양을 슬로우모션마냥 천천히 삼키는 어스름에 왈칵하고 벅찬 감정을 느낀다. 겨우 하루가 끝날뿐인데.

이번엔 시원한 맥주가 있었다면 좋았을 거다.

본격적으로 로라이마 산속으로 들어가는 순간 주변의 공기가 완전히 바뀌었다. 마치 다른 공간에 있는 듯하다. 울창한 숲은 그 거대한 크기만큼 습기를 가득 머금었다. 양 볼과 두 손 모두 기분 좋게 촉촉해져 저절로 미소가 지어졌다. 고개를 드니 울창한 나무들이 어제 나를 괴롭혔던 뜨거운 태양을 서늘할 정도로 가려주고 있다. 숨 쉴 때마다 상쾌한 숲 내음이 들어가고 나가기를 반복한다.

“와! 다람쥐 같아!”

가파른 산길을 빠른 속도로 오르는 나를 보면서 알렉스가 말했다. 포터인 알렌도 잘 오른다며 칭찬해주었다. 다른 사람들 역시 엄지를 ‘척’ 하고 올렸다. 그 열성적인 반응에 부응하기 위해 더욱 힘을 주어 발돋움했다. 체력을 적절히 안배하지 않고서 초반부터 냅다 속력을 냈다. 드디어 오늘 정상에 도달하게 된다는 설렘에 마음이 급해진 거다.

산길은 생각보다 더욱 험난하다. 상당히 비탈진 구간이 곳곳에 있어 기어가다시피 해야 겨우 오를 수 있다. 어제 캠프에 있을 때만 하더라도 손 내밀면 다다를 것 같은 꼭대기를 바라보며 자신감에 차 있었는데, 이렇게 두 다리가 후들거리며 땀을 잔뜩 흘리고 나서야 크나큰 착각이었음을 알 수 있었다. 도저히 길이 끝나지 않을 것만 같다.

산행 도중에야 캠프에서는 보이지 않던 다른 팀 멤버들이 간간이 눈에 띄었다. 처음 보는 사람들이지만 같은 목적지를 향해 한발 한발 나아가며 고생한다는 것만으로도 동료애를 느끼기 충분하다. 그래서 눈이 마주칠 때마다 응원의 눈길을 강하게 내비쳤다(그들이 알아챘을지는 미지수지만). 내가 갈 길을 몰라 허둥대자 어디선가 다른 팀 가이드가 나타나 길을 알려줬다. 이상하게 그와는 템포가 맞아 쉬어가는 타이밍에 그래놀라를 함께 나눠 먹으며 서로를 북돋아 주었다. 물론 대화는 전혀 통하지 않았지만.

고초를 겪는 와중에도 산을 오르는 데 전혀 도움 되지 않는 잡생각들이 머릿속을 점령한다. '내가 왜 이곳에 왔는지'에 대한 질문을 또다시 떠올리고야 만 거다. 뒤이어 마음 한구석에서 '힘들어 죽겠는데 지금 그게 무슨 소용이야?'라고 소리쳤지만, 어쩌면 이곳에 온 이유를 환기해야 그나마 턱 끝까지 숨이 차오르는 고통을 버틸 수 있을 것만 같다.

내가 떠날 수 있다는 것을 확인한 것만으로도 이 여행은 그 소임을 다했다고 느끼다가도, 그에 만족하지 못하고 더 나아가 '한계'를 시험하고 싶었던 것 같다. 그건 비단 육체적인 한계뿐만은 아닐 것이다. 그렇다 하더라도 이렇게 극단적으로 밀어붙일 이유는 없는데 말이지.

나 자신을 포함한 이 모든 상황에 대한 의문이 갑작스럽게 밀려들어 왔지만 늘 그렇듯 썰물처럼 스르르 어디론가 들어가 버렸다. 새하얀 거품처럼 머리가 하얘졌다. 그러나 두 다리는 멈추지 않았다.

정상에 다다르자 길이 끊기면서 가려졌던 하늘이 완전히 드러났다. 지친 어깨를 토닥이듯 어디선가 시원한 바람이 불어왔다. 정상에서 바라본 풍경은 웅장하고도 아름답다. 가까이에서 만져지는 뭉그러진 구름 덩어리도, 발아래 피어오른 구름바다도 너무나도 신기하다. 아래를 내려다보았을 때 아찔한 높이에 소름이 오소소- 올랐다. 안전 가이드라인과 같은 게 전혀 없어 까딱 잘못하다간 추락할지도 모른다.

사실 나의 취향은 로라이마의 전체적인 모습을 오롯이 담을 수 있는 산 아래 베이스캠프에서의 뷰이긴 했으나, 상상만 하던 로라이마의 정상까지 포기하지 않고 올라온 것에 더없이 큰 기쁨이 느껴졌다. 미지의 땅을 발견한 모험가가 된 기분이다.

멤버 중에 알롱이 가장 늦게 도착했다. 그는 카메라로 이곳저곳을 찍으면 올라오느라 속도를 내지 못했다고 한다. 이후에 그가 세계여행을 하며 찍은 사진들을 볼 기회가 있었는데 프로라고 해도 믿을 정도로 굉장한 실력이었다.

멤버들이 모두 정상에 도착한 걸 확인한 리더가 다 함께 수쿠리 호텔로 이동하자고 했다. '이곳에 호텔이 지어졌다고?' 하며 기대 반 의심 반으로 그를 따라갔다. 조금 더 걷자 바위로 된 지형이 끝나고 흙으로 된 길이 나왔다. 누군가 눈을 가리고 헬기에 태운 뒤 뚝 떨어뜨려 놓는다면, 이곳이 산꼭대기라는 것을 상상도 못 할 정도로 넓은 평지이다. 도중에 수영할 수 있는 크기의 깨끗한 자쿠지가 있었는데, 몇 명은 풍덩 들어가서 수영을 즐겼지만 지칠 대로 지친 나를 포함한 다른 사람들은 그 모습을 그저 바라보며 앉아서 휴식을 취했다.

가이드의 발길이 멈춰 선 곳은 오목하게 들어간 커다란 바위 형지. 바위가 든든한 지붕과 평평한 야영지가 되어 텐트를 치기 안성맞춤이다. '아, 이곳이 호텔이군.' 조금 허무해진 순간이다. 하긴 일생에 한 번 올까 말까 한 로라이마 꼭대기에 호텔이 지어진다면 마진이 별로 남지 않을 테니까. 매일 등반을 하거나 헬기로 출퇴근할 수도 없는 노릇이니 가족, 친구들과 생이별해야 하는 호텔 직원들은 무슨 고생인가.

수쿠리 호텔 주변 경관 역시 너무나도 아름답다. 특히나 바로 앞에 비가 고여서 만들어진 호수가 환상적이다. 그 고요하고 푸른 물은 요동도 없이 거울처럼 하늘을 그대로 비춘다. 물을 잔뜩 머금은 모네의 그림 같기도 하다. 평온한 호수에 괜스레 작은 돌멩이 하나를 던져 본다. 잔잔한 파동이 퍼져나간다.

밤이 되자 우리는 한층 더 가까워진 별 무더기 아래 모였다. 불을 피운 주변에 빙 둘러앉아 오늘의 무용담을 나누며 큰 소리로 웃었다. 어색하기만 했던 우리는 어느새 눈을 마주치며 서로의 이야기에 귀 기울인다. 밤공기는 차가웠으나 서로를 향한 눈길은 너무나 따스하다.

오늘 밤부터는 혼자 텐트를 쓰지 않는다. 지난 이틀 밤 동안 알렉스가 코를 심하게 고는 탓에 조나단이 잠을 제대로 자지 못해 나에게 함께 텐트를 쓸 수 있는지 부탁을 했다. 잠시 고민되었으나 그의 부탁을 수락할 수밖에 없었다. 잠을 편히 못 자는 건 상당히 고통스러운 거니까. 게다가 오늘은 정말 고된 하루였지 않은가. 좁은 공간에 둘이 있는 게 어색하지 않을까 걱정했으나 금세 기우임을 알 수 있었다.

마치 수학여행에 온 것처럼 조나단과 밤늦도록 끊임없이 이야기를 나누었다. 그에게 스페인어를 배우기도 했는데 나의 형편없는 스페인어 발음 때문에 둘 다 웃음이 터져버렸다. 그러다 결국 옆 텐트에 있는 동료로부터 한 소리를 듣고 말았다.

"미안한데 작게 이야기해 줄 수 있을까?"

'아차!'

넷째 날

오늘은 정상에서 하루를 꼬박 보내는 일정이다. 5박 6일 일정 중 유일하게 여유롭게 보낼 수 있는 하루라 할 수 있겠다. 우리는 로라이마 정상 끝자락에 위치한 윈도우 포인트에 가보기로 했다. 트리플 포인트라고 해서 베네수엘라, 브라질, 가이아나 3국이 맞닿는 지점까지 가는 코스도 있었으나 리더가 그곳은 별로 볼 게 없어 굳이 가지 않아도 괜찮다고 했다. 게다가 왕복 8시간이 걸린다고 하니 더욱 갈 마음이 싹 사라졌다.

윈도우 포인트는 바위 사이로 네모난 창문이 만들어진 포토 스팟이다. 특별히 큰 감흥을 일으키는 포인트는 아니었다. 그보다는 거대한 창문처럼 시원하게 뚫려있는 환상적인 절벽이 내 마음을 사로잡았다. 발아래 시시각각 변하는 구름을 보자니 공중에 붕 떠 있는 듯한 기분이 든다. 하울의 움직이는 성처럼 로라이마가 스르르 어디론가 이동할 것만 같다.

어느새 우리는 이곳의 엄청난 높이에 익숙해져 바위 끝에서 사진을 찍을 정도로 대범해졌다. 저 멀리 반대편 절벽에 서 있는 동료와 서로 사진을 찍어주기도 했다. 조나단은 크게 두 손을 흔들고 점프하는 과감함까지 보였다. 그는 여행 이후 몇 년 뒤 페이스북으로 스카이 점프를 하는 영상을 보내주었는데, 역시 보통 강심장이 아니었던 것 같다.

하지만 포터들은 우리를 훨씬 뛰어넘었다. 어떻게 내려갔는지 저기 아래 아슬아슬한 절벽에서 식사하고 있었다. 소화되는 게 신기할 정도다. 그들에게 어떻게 내려갔는지 소리쳐 물으니 빙 돌아내려 가는 길을 알려줬다. 호기심을 참지 못하고 그들이 있는 쪽으로 조심조심 내려가 보았다. 잠깐 있는데도 아래로 떨어질 것 같은 공포감이 들어 사진만 찍고 후다닥 올라와야 했다. 1분 이상 머물 수 없는 곳이다.

우리는 한참이나 윈도우 포인트 주변에서 시간을 보내다 아쉬움을 뒤로한 채 다시 캠핑장으로 걸어갔다. 돌아가는 도중 발가락에 잡혔던 물집의 통증이 점점 심해져 제대로 걷는 게 어려웠다. 물집이 건드려질 때마다 고통스러워 절뚝이며 걸을 수밖에 없었다. 물집의 상태를 살펴보려고 잠깐 멈춰 쪼그려 앉았다. 알롱도 걱정되었는지 함께 쪼그려 앉아 기다려 줬다. 그러다 그는 조심스럽게 나에게 물었다.

“어쩌다 첫 여행을 남미로 오게 된 거야?”

발가락을 살피다 갑작스러운 그의 물음에 고개를 들어 그를 바라봤다.

“그러니까 남미는 여행 경험이 많은 나에게도 쉽지 않은 곳이란 말이지. 그런 곳을 어쩌다 첫 여행으로 오게 되었는지 궁금해.”

글쎄, 왜 난 그 많은 곳 중 남미여야 했을까. 어쩌면 남미가 아닌 다른 곳일 수도 있었다. 유럽이나 동남아 혹은 아프리카였을 수도 있다. 그곳에서도 충분히 멋진 경험을 할 수 있었을 텐데. 하지만 내 마음에 어떤 변화가 일어나고 있을 때 유일하게 눈앞에 보였던 것이 남미였다. 그건 우연이라고 생각하지 않는다. 그리고 내가 남미로 떠날 수 있었던 이유는…

“난 내 힘으로 무언가를 이룬 적이 없어. 그래서 무언가를 이루고 싶어서 왔어.”

이 말을 망설임 없이 내뱉어 버렸다. 게다가 전혀 떨거나 부끄러워하지 않았다. 그런 자신에게 놀랐다. 혼자 수없이 생각했을 때는 쉬이 내려지지 않던 답이 입 밖으로 나오자 그제야 모든 게 명확해졌다. 이런 물음에 담담하게 답할 수 있는 날이 올 줄이야.

로라이마 정상에서의 마지막 밤이 찾아왔다. 내가 동경하던 여느 책 속의 주인공처럼 나 역시 남미에서 빛나는 무언가를 발견할지도 모른다는 생각이 들었다. 완전히 확신할 수 없었으나 그럴 수 있을 것만 같은 희망만으로도 벅찬 마음이 들었다.

이 모든 게 가능한 이유가 '남미라서'라는 확신이 점점 생긴다. 쉬이 잠이 오지 않는다.

다섯째 날

지난날들을 통틀어 가장 힘든 날이다. 근육통 때문에 갓 태어난 송아지처럼 다리가 후들거린다. 다리에 힘이 거의 들어가지 않아 두 손으로 다리 하나를 옮기고, 다시 남은 다리를 옮기면서 겨우 앞으로 나아갔다(조금 과장하자면 말이다). 산은 오르는 것보다 내려가는 게 오만 배는 더 힘들다.

엎친 데 덮친 격으로 갑자기 예고도 없이 굵은 빗방울이 후드득 내리기 시작했다. 시야가 가려져 앞이 잘 보이지 않는다. 연거푸 세수하듯 얼굴을 쓸어내렸다. 게다가 바닥이 상당히 미끄러워 자칫 잘못하면 고꾸라질 것만 같다. 다리가 계속 풀리는 탓에 주저앉지 않도록 오로지 정신력으로 온몸을 지탱해야 한다. 근육은 도무지 아무 쓸모도 없었다. 너무나도 힘들고 지쳐만 간다. 전기장판을 틀어 따뜻하게 데워진 침대가 눈앞에 아른거렸다. 점점 정신이 흐려지고 두 눈이 감긴다. 정신을 놓다가 또 붙잡기를 반복한다.

드디어 내리막길이 끝나고 평지가 나타났다. 너무 안도한 나머지 평지에 발이 닿고 몇 걸음 못가 다리에 힘이 풀어져 버렸다. 배낭이 무거웠던 터라 결국 앞으로 고꾸라졌다. 다행히 반사적으로 손으로 땅을 짚어 얼굴을 들이박지는 않았다. 무엇보다 뒤따라오는 사람이 없어서 다행이다. 뒤이어 오는 사람과 마주치는 민망한 상황이 오지 않도록 배낭의 무게를 버티며 초인적인 힘을 발휘하여 일어났다. 그리고 다시 영혼이 반쯤 나간 상태로 아래를 향해 걸었다.

비가 멈추지 않고 계속 내려 이튿날 쉽게 건넜던 계곡물이 엄청나게 불어있었다. 절대 사람이 건널 수 있는 깊이가 아니었다. 리더는 카누에 멤버를 두 명씩 태운 뒤 거친 물길을 요리조리 피하며 노를 저어 차례로 강 건너편으로 옮겨주었다. 그는 우리 팀뿐만 아니라 다른 팀 멤버도 강을 건널 수 있도록 도와주었다. 우리는 모두 존경 어린 눈빛으로 그를 바라보았다. 이후 모든 일정이 끝나고 맥주를 마시며 회포를 푸는 자리에서 우리는 몇 번이고 이때를 언급하며 박수를 쳤다.

다음 계곡은 그전보다 얕았지만, 폭이 훨씬 넓었으며 물살이 상당히 세찼다. 반대편 육지까지 길게 연결된 줄에 의지하여 강을 건너야 했다. 바지를 걷어 올리고 두 손으로 줄을 단단히 잡았다. 거센 저항을 이겨내며 한 걸음 한 걸음 발을 옮겼다. 강을 건너는 내내 여차하면 잘못될 수도 있다는 생각이 들 만큼 엄청난 물살이었다. 살기 위해서 줄을 놓지 않으려 악착같이 버텼다. 만약 그때 그 줄을 놓쳤다면? 상상조차 하고 싶지 않다.

여러 고비를 넘어 간신히 첫날의 베이스캠프에 도착했다. 먼저 도착한 멤버들이 마치 죽은 줄로만 알았던 전우가 살아온 것처럼 나를 기쁘게 반겨주었다. 모두가 표정이 한결 부드럽고 온화하다. 한창 내려가는 도중에는 말 한마디 붙이기 어려울 정도로 미간 사이 주름 하나씩 심은 심각한 표정이었다. 아마 내 미간에는 서너 개 있었을 테지.

다리 전체를 감싸는 통증이 여전히 선명하다. 반면 산속에서 보낸 나날의 기억은 조각처럼 단편적으로만 남아 있다. 한국에서 사진으로 로라이마를 본 순간부터 두 발로 로라이마 산속으로 들어갔을 때까지 그 모든 순간이 나의 선택이었으나, 순순히 간 것 같기도 하고 무언가에 떠밀린 것 같기도 하다. 어쩌면 운명과 같은 것이라는 무책임한 설명을 할 수밖에. 그 정체가 무엇이든 피할 수 있었지만 피하지 않았다. 그 힘에 맞설 수 있는 나임을 기어코 확인했다.

뒤를 돌아보니 로라이마는 첫날과 다름없이 고요하게 그 자리에 있다. 신성한 기운이 또다시 나에게 이리 오라며 손짓하는 것만 같다. 치열하게 산을 오르내리며 보낸 며칠간의 시간이 꿈처럼 느껴진다.

'그때…, 내 표정이 어땠더라?'

당신은 어떤 힘으로 삶을 살아가나요?

지금도 끊임없이 나를 확인하고 싶은 생각에 사로잡힌다. 그건 스스로에 대한 의심에서 비롯된 건지도 모른다. 준비도 없이 낯선 세상에 던져진 건 그때, 남미에서 뿐만이 아니다. 인생이 물 흐르듯 쉽게 흘러가면 얼마나 좋을까? 시험하는 듯한 불편한 상황과 불안정한 마음 상태를 마주할 때마다 여전히 어린 날과 다름없이 크게 요동친다. 모든 것에 의연히 대처할 수 있는 어른이 되길 바랐지만, 아직 멀었나 보다.

나의 삶과 무거운 영혼을 짊어지고 이토록 기나긴 생을 살 수 있을까? 사회생활을 하니 그 확신의 많은 부분이 통장 잔고에서 나온다고 생각될 때가 많다. 하지만 누군가가 "당신은 어떤 힘으로 삶을 살아가나요?"라고 묻는다면 그런 식으로 답하고 싶지 않다. 그건 지나치게 속물적이라 생각되기도 하고 아쉽게도 아직 그만한 재산이 없기도 하니까. 그보다는 '나'라는 인간 자체로 확인하고 싶다. 온전히 나의 육체와 정신을 거쳐야만 안심할 수 있다.

아늑한 집이나 카페 혹은 숙소에서 책을 읽거나 글을 쓰거나, 공부나 명상 등을 하면서 삶의 에너지를 확인할 수 있다면 좋겠지만,

내 영혼은 그렇게 호락호락하게 넘어가지 않는다. 숨을 세차게 내쉬고 온몸에 통증을 느끼는 아픔에서, 머리가 터질 것 같은 고뇌 끝에 내놓는 결론에 그제야 긴장을 풀고 편히 쉴 수 있게 된다. 운동 꽤 하는 사람들이 근육통이 좀 있어야 운동을 제대로 한 것처럼 느끼는 것처럼 말이다.

가끔 그런 과정이 벅차게 느껴져 모두 제쳐두고 느슨해지고 싶다. 편히 여행을 다니고 맛있는 걸 먹으면서 소위 말하는 힐링을 하고 싶기도 하다. 하지만 그 끝은 공허할 뿐인 걸 잘 안다. 이로썬 만족이 되지 않는 거다.

남미로 떠나기 전의 나는 무력감을 충분히 느껴왔다. 늘 자신을 아무것도 아닌 사람이라 생각했고, 그것을 받아들이며 여태 나의 영혼을 질질 끌어온 거다. 떠나기 직전에 와서는 그대로 머무는 걸 더 이상, 도저히 견딜 수 없는 지경이었다. 그런 지긋지긋함에 떠난 것이다.

로라이마에서 보낸 시간은 내가 혼자 힘으로 삶을 헤쳐갈 수 있다는 걸 확인시켜줬을 뿐만 아니라 그렇게 하고 싶은 깊은 욕망까지 일깨워 주었다.

목적지로 거침없이 향하는 두발, 밝은 미소 그리고 어떻게든 해내고야 말겠다는 건강한 의지. 그런 젊은 날의 나를 어떻게 자랑스러워하지 않을 수 있을까? 오늘도 그날의 나를 떠올리며 영혼을 추슬러 본다. 다음 목적지는 어디인지 알 수 없지만, 지치지 않고 나아갈 힘이 나에게 있다고 믿는다.

베네수엘라 버스는 왜 이렇게 추울까?

1

"엄마, 내가 베네수엘라에서 버스를 탔는데 진~짜 추웠다?"

텔레비전 화면에서 눈을 떼지 못하는 엄마의 등 뒤에서 그때를 회상하며 상기되었지만 조금은 안도하듯 말했다. 하지만 엄마는 어떤 미동도 없이 화면만 주시할 뿐이다. 정적 속 나의 목소리만이 거실에 울려 퍼진다.

"진짜 추웠다니까?"

한 층 목소리를 높여보았지만 소용없었다. 엄마는 마치 유리 벽 너머 다른 공간에 있는 것만 같았다. 뭔가 이상하다고(혹은 잘못되었다고) 느끼는 찰나, 눈이 번쩍 뜨여진다.

2

주변은 온통 어둠이다. 어슴푸레한 비상등 불빛으로 겨우 사람과 사물의 실루엣을 볼 수 있다. 목을 쭉 빼서 둘러보니 승객들이 마치 구겨놓은 짐짝과 같은 모양새로 늘어져 덜컹거리는 움직임에 맞춰 무방비하게 흐느적거린다. 옆자리에는 두꺼운 옷으로 꽁꽁 싸맨 조나단이 팔짱을 낀 채 고개를 푹 숙이고 있다. 작은 미동조차 없어 그가 숨을 쉬는지 확인해야 하나 잠시 고민에 빠졌다. 아니지 다른 사람을 걱정할 때가 아니다. 살을 파고드는 추위가 온몸을 고통스럽게 찌른다. 분명 나는 이 기나긴 여행을 마친 후 안락한 집에서 속 편히 지금을 회상하고 있었는데…. 엉엉 울고 싶어졌지만, 눈물조차 얼었는지 나오지 않는다.

로라이마 다음 목적지는 세상에서 가장 높은 폭포인 엔젤 폭포(스페인어 발음으로는 앙헬 폭포)이다. 엔젤 폭포는 베네수엘라에 가는 여행자라면 반드시 들리는 명소 중 하나로, 9명의 트레킹 멤버 중 나를 포함하여 알롱, 사쿠, 조나단, 앤드류 다섯 명이 함께하게 되었다. 어쩌다 보니 여자는 나 혼자만 남았다.

트레킹을 마친 다음 날 각자 다음 목적지로 떠나는 다른 멤버들을 배웅하고, 엔젤 폭포 멤버들과 저녁 늦게서야 버스터미널로 향했다. 산타 엘레나에서 엔젤 폭포가 있는 시우닷 볼리바르행 밤 버스를 타게 된다. 남미에서 밤 버스를 탄다는 것은 다음 날 아침이 되어서야 도착한다는 걸 의미한다.

“내 생각엔 옷을 더 껴입는 게 좋을 것 같아.”
버스를 타기 직전 사쿠가 슬쩍 다가와 조심스레 일러주었다.

베네수엘라 버스의 악명을 익히 들은 터라 이미 많은 옷을 껴입어 몸이 포동포동한 상태였다. 여기서 옷을 더 껴입는 건 상당히 번거롭고 귀찮은 일이다. 하지만 사쿠가 걱정하는 마음에 친절히 이야기해 주었는데, 그 호의를 무시하기는 더욱 어렵기에 버스가 떠나기 직전 얼른 화장실에 가서 남은 옷을 몇 벌 더 걸쳤다.

만약 그때 그의 말을 듣지 않았더라면 다음 날 아침 동사한 채로 발견되었을 수도 있었을 거다. 농담이 아니라 정말로.

3

버스가 도착하자 사람들이 차례로 안쪽으로 들어갔다. 나 역시 자리를 찾아 앉은 뒤, 들어오는 승객들을 가만히 바라보니 다들 만반의 준비를 한 것이 눈에 보였다. 뭔가 심상치 않다. 두꺼운 담요를 온몸에 돌돌 말고 있는 사람도 있고 침낭을 어깨에 메고 가는 사람도 있었으나, 그때만 해도 상황의 심각성을 파악하지 못했다. '굳이 저렇게까지 한다고?' 고개를 갸우뚱할 뿐이었다.

몇 년 전 친구와 눈이 내리는 한라산을 등반한 적이 있다. 눈발이 하나둘씩 떨어지는 걸 알면서도 막무가내로 출발한 게 큰 실수였다. 순식간에 눈은 시야를 가릴 정도로 내렸다. 양 볼에는 감각이 없어지고 두 발은 마치 얼음을 깎아 만든 신발을 신은 듯했다. '히말라야에서 조난한다면 이런 기분이지 않을까'라고 느낄 정도의 추위와 공포였다.

그때 느꼈던 추위가 베네수엘라 버스에 비하면 보잘것없다고 모든 걸 걸고 확신할 수 있다. 그 본색을 드러내기 시작한 건 버스가 출발하고 얼마 지나지 않아서이다. 쉬쉬쉭- 무자비하게 에어컨이 작동한다.

어째서 냉장고 아니 냉동고가 될 정도로 에어컨을 펑펑 틀었는지 미스터리다. 유전국이라 기름이 남아돌아서 그런 건가? 과연 버스 기사실에도 이토록 에어컨을 빵빵하게 트는지 당장 내려가서 확인이라도 하고 싶다. 만약 여기만큼 춥지 않다면 버스 기사의 멱살을 잡아야겠다. 큰 소리로 "Stop!!!"이라고 외치며 버스를 뛰쳐나가고 싶었으나, 이곳은 한국과 정 반대편 남미이고, 그중에서도 '가장 위험한 국가'라 불리는 베네수엘라이다. 유일하게 할 수 있는 건 최대한 몸을 한껏 웅크리고 잠들려 애쓰는 것이다. 차라리 기절이라도 하고 싶은 심경이다. 짐이 될 거라며 바네사 집에 두고 온 침낭이 무척 그리워졌다.

일부러 다른 친구들에게 목적지에 도착하는 시간을 물어보지 않았다. 아무것도 모르는 게 오히려 고통을 버티는 데 도움이 될 거다. 도착 시각을 알았더라면 매분, 매초 시계를 확인했을 테니까. 무려 10시간 동안 꼼짝없이 움직이는 냉동고 속에 갇혀 있어야 했다.

온 세상이 새하얀 겨울. 오들오들 살 떨리는 추위 속 길 위를 걷다 보면 종종 이런 생각을 한다.

'베네수엘라 버스보다 춥진 않군.'

Help me!

엔젤폭포 속으로

1

보통 사람들은 여행을 떠나기 전 그곳에 대한 정보를 최대한 수집한다. 역사와 인물, 꼭 들러야 할 곳, 함께 하면 좋은 책이나 영화, 먹어봐야 할 음식, 놓치면 안 되는 행사 등과 같은 것 말이다. 자신이 가진 정보만큼 여행을 더욱 풍부하게 경험할 수 있고, 그곳에서만 누릴 수 있는 것들을 충분히 누릴 수 있다. 여행지는 옆 동네처럼 쉽게 오갈 수 있는 곳이 아니기에 우리에게 주어진 한정된 시간 속에서 그 즐거움을 극대화하고자 한다.

하지만 어째서인지 나는 그런 수고로움에 인색했다. 이제야 다시 여행을 정리하면서 구글을 통해 새롭게 습득하는 중이다. 아는 만큼 보인다는 말이 맞았다. 여러 텍스트를 통해 내가 얼마나 흥미로운 곳에 있었는지 알아가는 재미를 새삼 느낀다. 덤으로 자부심까지 따라오니 얼마나 기분 좋은 일인가.

엔젤 폭포의 이름은 미국인 모험가 제임스 엔젤의 이름에서 따왔다는 설과 폭포 하부에 퍼지는 포말과 안개가 끼었을 때의 모습이 마치 천사의 날개와 같아서 엔젤 폭포라 이름이 붙여졌다는 설로 나뉜다. 1935년 제임스는 정글을 비행하던 도중 근처 비행장을 찾다가 우연히 엔젤폭포를 발견했고, 1937년 다시 한번 찾아가 정확한 위치를 잡았다고 한다.

엔젤폭포의 높이는 979m이고 물줄기 길이만 측정해도 808m나 된다. 나이아가라 폭포보다 15배, 엠파이어 스테이트 빌딩보다 2.5배 더 높다. 엔젤 폭포를 먼발치에서 바라봤을 때는 그 정도의 높이라고 상상도 하지 못했고, 코앞에서 보았을 때는 높이를 가늠하기 어려웠다. 이런 정보를 신기해하는 나를 가만히 보자니 얼마나 이 여행에 대해 무지했는지 알 수 있다. 정말 이상할 만큼 이런 것에 관심이 전혀 없었다.

2

버스가 목적지인 시우닷 볼리바르에 멈춰 서자 승객들 모두 탈출하듯 튕겨 나왔다. 우리는 서로의 생사를 확인한 뒤에야 안심할 수 있었다. 밝은 햇살 아래 마주한 동료들의 얼굴에는 어떤 구김도 없다. 여행에서 좋아했던 것 중 하나가 바로, 이 순간이다. 얼마나 힘들었든 간에 그 고비를 넘기면 단숨에 스르르 풀리는 친구들의 밝은 표정. 여행에서는 '이쯤이야' 하는 다부진 마음가짐을 장착하나 보다. 그 덕에 나 역시 툭툭 털며 괜찮아질 수 있었다. 서로 눈이 마주치면 씩- 웃으면 그만이다. 그래도 다들 버스 안에서 편히 잠을 잘 수 없어(아마 나처럼 악몽을 잔뜩 꿨을 테지) 많이 지친 터라 오늘 하루는 근처 숙소에서 푹 쉬기로 하고 다음 날 엔젤폭포에 가기로 했다.

엔젤 폭포가 있는 카나이마 국립공원은 하늘길을 통해서만 갈 수 있다. 다음날 비행장에는 아주 아담한 크기의 경비행기가 우리를 맞이해주었다. 다섯 명의 멤버가 두 그룹으로 나누어 타야 할 정도의 크기이다. 경비행기라 하더라도 스무 명 안팎으로 탈 수 있는 크기인 줄만 알았던 터라 잠시 당황했다. 영화에서는 이런 비행기를 타면 높은 확률로 추락을 하게 되기에 무척 불안했으나, 비행기가 날아오르자 그런 무서운 생각은 순식간에 싹 사라졌다.

대형 항공기를 탔을 때와는 비교도 안 되게 공중에 붕 떠오르는 생생한 감각이 온몸에 전율을 일으킨다. 발아래 거대한 카나이마 국립공원이 펼쳐져 장관을 이룬다. 그란 사바나의 넓은 초원 사이로 가지처럼 뻗어져 있는 작은 강들이 커다란 강으로 모여든다. 붉은빛 강물이 생명력 넘치게 흐르고 있다.

로라이마에서는 여행자를 쉽게 찾아볼 수 없어 9명의 멤버가 똘똘 뭉쳐 의지했었는데 비행장은 사람들이 가득 차 북적였다. 이곳에는 여행자보다는 관광객 느낌을 풍기는 사람들이 대부분이다. 내가 생각하는 관광객이란 여행사를 통해 단체로 오는, 배낭이 가벼운 사람이다. 왁자지껄 소란스러우면서도 활기찬 주변 분위기에 기분이 이상해졌다. 낯선 오지에 고립되어 있다가 방금 구조된 듯 현실감이 없다.

엔젤 폭포까지 가려면 국립공원 안으로 더욱 깊숙이 들어가야 한다. 이번엔 10인승의 빨간 모터보트에 몸을 실었다. 보트는 부왕부왕- 큰 소리를 내며 플룸라이드처럼 격렬히 앞으로 나아갔다. 그 반동으로 강물이 얼굴을 차갑게 적셔 정신이 번쩍 들었다. 커다란 강의 주변에는 녹빛의 그란 사바나가 우거져 있고 테푸이가 한

폭의 그림처럼 쉼 없이 이어졌다. 물론 로라이마의 크기에 비할 바는 못 되지만 다시 테푸이를 만나 무척 반갑다.

하늘은 깨끗하고 맑았으며 하얀 구름이 조각조각 여유롭게 떠다녔다. 따스한 햇볕을 머금은 반짝이는 강물을 가르며 또다시 앞으로 나아갔다.

3

엔젤 폭포의 머리가 조금씩 보이자 보트는 더욱 신나게 팡팡 뛰어올랐다. 육지에 다다라서야 보트는 서서히 시동을 꺼트리고 부드럽게 정지했다. 앞장선 가이드를 따라 걸어가니 엔젤 폭포가 큰 보폭으로 한 걸음씩 성큼성큼 다가왔다.

엔젤 폭포는 폭포라기보다는 마치 물줄기를 토해내는 거대한 산처럼 보였다. 하늘을 찌를 듯 높이 우뚝 솟아있어 이과수나 나이아가라 폭포와 같이 부피가 큰 폭포와는 완전히 다른 느낌이다. 기다란 초식 공룡이 거친 테푸이 속 엔젤 폭포 주변을 어슬렁거리며 노니는 모습이 선명히 그려진다.

캠프장은 강 건너 엔젤 폭포가 잘 보이는 위치에 자리 잡고 있다. 나무로 된 기둥이 몇 개 세워져 있고 판자가 한 겹 얹혀 지붕 역할을 한다. 과연 비나 바람을 버틸 수 있을지 의문이다. 출발할 때의 맑은 하늘은 어느새 사라지고 먹구름이 우르르 다가오는 걸 바라보니 더욱 걱정된다. 지붕 이외엔 어떤 가림막도 없이 해먹만 여러 개 대롱대롱 걸려있어 얼핏 수용소 같다. 하지만 처음 누어보는 해먹은 생각보다 편하고 아늑하다. 무엇보다 흔들흔들 움직이는 게 재미있다.

강 너머 엔젤폭포를 줌인하여 찍고 있는데 가이드가 다가와 장난기 넘치는 표정으로 사진을 찍어주겠다고 했다. 그는 입을 벌리고 하늘을 보고 서 있으라며 직접 시범을 보였는데, 엔젤 폭포의 물줄기를 마시는 듯한 그런 포즈를 만들고 싶었던 거다. 어느 관광지나 시그니처 포즈가 있다. 피사의 사탑에서 기울어진 탑을 무릎을 꿇고 두 손으로 떠받치는 포즈, 로마에서는 진실의 입에 손을 넣는 포즈가 바로 그것이다. 살짝 민망하긴 했지만, 덕분에 재밌는 사진을 남길 수 있었다.

캠핑장에는 다른 팀이 더 있는데 역시나 모두 남자이다. 남미에서는 여자 여행자를 발견하기 어려워 이젠 이런 상황에 익숙하다. 예상대로 이들은 나에게 중국인인지 일본인인지 물어보았다. 그들의 선택지에는 한국인은 없다. 나는 한국, 그것도 남한에서 왔다고 콕 집어 이야기해 준다.

저녁이 되자 칠흑 같은 어둠이 찾아왔다. 전기가 없어 곳곳에 켜 둔 작은 촛불에 의지해야 한다. 숲속에서 촛불만 켜 둔 채 식사하니 나름대로 분위기 있다. 저녁 식사를 마치고 얼마 지나지 않아 빗방울이 하나씩 떨어지기 시작하더니 타당- 타당- 드럼을 치듯 지붕을 세차게 두드렸다. 얼굴을 분간하기 어려울 정도로 어둠이 짙어져 우리는 일찍이 해먹에 누워야 했다.

다음 날 아침이 되어서도 여전히 비가 그치지 않았으나 엔젤 폭포로 가는 일정을 미룰 순 없다. 안개까지 심해져 눈앞에 있는 사람만 겨우 볼 수 있게 되었지만 얼마 전까지 로라이마의 하드코어 일정을 소화한 우리는 정예부대처럼 꿋꿋이 비를 뚫고 길을 나섰다. 미끄러지지 않도록 조심조심 돌을 밟으며 긴장을 끝까지 놓지 않았다.

가까이에서 본 엔젤 폭포는 목을 한껏 꺾어 올려다봐야 할 정도로 솟아있다. 안개인지 폭포의 포말인지 모를 하얀 연기가 그 높이를 따라잡으려 하는 것처럼 하늘로 높이 날아오른다. 비에 쫄딱 젖어 눈도 제대로 못 뜨는 와중에도 쏟아져 내리는 폭포수를 배경으로 찍은 사진 속 우리의 모습은 사뭇 엄숙해 보였다. 또 한 번 새로운 곳에 발을 딛게 된 서로를 격려해주었다.

비가 더욱 세차게 내려와 오래 머무르지는 못하고 곧바로 되돌아가야 해서 무척 아쉬웠다. 날이 좋았다면 아무렇게나 널브러져 폭포가 떨어지는 걸 하염없이 바라봤을 텐데.

엄청나게 쏟아 내리는 폭포수

정글 속 해먹에 폭 들어가 꿀잠~

세상의 중심에서 내려온 여행자

1

쏴아아-

한밤중 빗소리가 엔젤 폭포수 낙하 소리와 함께 어우러져 정글 전체를 울린다. 빗물이 수풀을 시원하게 적신 덕에 비 내음이 한층 상쾌하게 느껴진다.

해먹에 누워 뜬눈으로 뒤척인다. 결코 해먹이 불편해서가 아니다. 오히려 해먹은 나를 포근히 감싸주었고, 덤으로 담요까지 덮으니 이보다 안정적일 수 없다. 단잠을 방해하는 건 이 순간 느껴지는 모든 것을 쉬이 덮어두지 못하게 만드는 아쉬움뿐이다.

활기 넘치는 남미의 하루가 저버리고 어둠이 찾아오면 의식은 더욱 선명하고 강렬하게 지금 이 순간, 바로 여기에 있는 나에게로 집중된다. 마치 열렬히 짝사랑했던 상대와 이루어진 것처럼 심장이 두근거린다. 동경만 해오던 배낭여행을 하는 지금의 나를 어떻게 표현할 수 있을까. 낯선 장소에서 눈을 뜨고, 새로운 사람과 친구가 되고, 한 번도 먹어보지 못했던 음식을 먹고, 마음이 가는 곳으로 발걸음을 옮기는 삶. '이 모든 게 현실이 맞아?' 누구라도 붙들고 확인하고픈 마음이다. 하지만 해먹 속에서 누에고치처럼 깊이 잠든 친구들을 괴롭힐 수 없다.

미칠 듯 추운 베네수엘라 야간 버스부터 경비행기와 모터보트까지 다양한 이동 수단을 거치면서까지 카나이마 국립공원 한가운데로 깊숙이 들어온 건 엔젤 폭포를 너무나도 보고 싶어서가 아니었다(물론 엔젤 폭포를 두 눈에 담는 건 멋진 일이다). 엔젤 폭포 그 자체보다 이곳의 한 부분이 된 나의 모습을 그 무엇보다 열망했다. 남미의 멋진 배경이 나를 더욱 돋보이게 하고, 빛나는 사람으로 만들어줄 거라 믿었으니까. 그리고 그건 정말이었다.

그런 의미에서 내 여행은 그곳을 음미하는 여행이라기보다 자신에게 도취한 여행으로 봐도 무방하다. 그래서 여행지의 역사라던가 독특한 지형 따위에는 흥미가 없었던 거다. 어째 나의 게으름을 변명하는 것 같긴 하다만….

젊은 여행자만이 가질 수 있는 뻔뻔함은 나르키소스처럼 더욱 깊숙이 자기 모습에 빠져든다. '난 정말 멋진 것 같아', '지금 엄청난 일을 해내고 있어!'라며 특별한 존재가 된 듯한 기분을 만끽한다. 아마 지금 이런 생각을 가지며 여행한다면 부적절한 것까지는 아니더라도 상당히 주책처럼 보일 수 있겠다.

하지만 만약 그런 시절이 없었더라면 어땠을까? 무엇이든 될 수 있고, 뭐든 할 수 있다고 확신에 차 의기양양하던 때가 없었다면? 남미로 떠나지 않았다면 분명 지금과는 다른 모습으로 살아가고 있을 거다. 높은 확률로 사는 곳도 직업도 심지어 만나는 사람들도 다를 테지. 그건 실제로 확인할 길이 없어 어느 쪽이 더 좋다고 확신할 수 없다. 하지만 다른 삶에 대한 일말의 아쉬움도 없다. 지금의 내가 아닌 다른 사람이 되고 싶지 않다.

그런 시절이 일몰처럼 서서히 저버리고 지금은 세상의 작은 조각으로 살아간다. 그리고 아주 신기하게도 그런 변화를 저항심 없이 받아들인다. 아직 부족하지만 오로지 나에게만 쏠려있던 시선을 바깥으로 천천히 돌려 주변 사람과 사물을 애정 어린 시선과 관찰하는 태도로 대하고자 한다.

살아있는 모든 생명체는 다음 단계로 나아가고 싶어 하기 마련이니까. 그 끝이 소멸이라 할지라도.

2

무료한 오후 홀로 카페에 앉아 있다 보면 문득 세상의 주인공으로 당당히 자리 잡았던 그때가 그립기도 하다. 하지만 그립다고 해서 다시 그렇게 되고 싶다는 건 아니다(그렇게 될 수도 없겠지). 그저 그리운 대로 그 자리에 가만히 두고 그런 시기가 있었다는 것만으로도 미소 지을 수 있으면 그로서 충분하다.

그리고 이제는 내가 있을 수 없는 그 자리에 서게 될 행운을 가진 젊은 여행자에게 진심 어린 응원을 해주려 한다.

너무 노인같이 이야기했나?

가이드가 제안한 포즈..^^;
앙헬폭포 ~~>
이..이렇게요?
엉거주춤~
Good! Good!
비오는 정글 속 해먹에서 보내는 밤~
운치 있구만~

함께였어도 결국 배낭여행은 혼자가 되는 것

1

남미 배낭여행 커뮤니티를 보면 동행자를 구하는 글을 쉽게 볼 수 있다. 주로 몇 날 몇 시 어디에 도착하는데 같이 식사하거나 함께 숙소를 구하자는 글이다. 혹은 A에서 B로 이동하는데 함께 동승할 사람을 찾기도 한다.

애초에 한국에서 출발할 때부터 동행자를 찾는 경우도 있는데, 아무래도 남미는 홀로 맘 편히 여행하기 적합하지 않은 곳이기도 하니까(그렇다고 여행을 포기하기는 더욱 어려운 곳이라) 이렇게 동행자를 찾는 것 같다.

남미라는 곳은 유럽처럼 로맨틱하지 않기 때문에 새로운 인연을 만날 수 있다는 기대감으로 동행자를 찾는 경우는 별로 없을 거다. 아니지 누군가에겐 남미가 유럽보다 더 로맨틱할 수도 있나? 세상엔 다양한 사람이 있으니까 동행자를 구하는 각자의 사정은 알 길이 없다.

동행자를 구하는 글을 보면서 '이런 게 있구나!' 하고 신기해했지만, 전혀 구미가 당기지 않았다. 혼자 어떻게 서든 부딪혀 보자는 마음으로 남미 배낭여행을 온 나로서는 선택지에서 '동행'은 완전히 제외한 것. 조금 건방지게 들릴 수 있지만 '굳이?'라는 마음이 컸다. 물론 이번에 로라이마 트레킹 멤버 중 루트가 같은 친구들과 엔젤 폭포까지 동행하게 되었으나 그건 각자의 목적에 충실하며 자연스럽게 이루어졌을 뿐이다.

우리는 엔젤 폭포를 마지막으로 뿔뿔이 흩어지게 된다. 조나단과 앤드류는 각자 칠레, 캐나다에 있는 집으로 돌아가고 알롱과 사쿠는 콜롬비아로 넘어간다. 그리고 나는 베네수엘라에서 남은 일정을 마무리하고 나서야 콜롬비아로 넘어간다. 우리는 나 홀로 배낭여행자라는 정체성을 잃지 않기 위해 함께 무언가를 하자는 약속을 하지 않았다. 아무리 헤어짐이 아쉬워도 어쩔 수 없는 일임을 서로가 너무나 잘 알고 있다. 결국 각자 배낭을 짊어지고 자신이 정한 길을 가야만 한다. 마지막 날 우리는 서로 포옹과 악수를 나누었다.

며칠간 함께 고생하며 이동하고, 같은 숙소에서 잠을 자고 밥을 먹던 친구들이 곁에서 사라지니 또다시 세상에 홀로 남겨진 기분이다. 막힌 둑이 깨지듯 잊고 지내던 감정이 후두둑- 쏟아져 나왔다. 친구들 덕에 지난 며칠 동안 이곳이 악명 높은 베네수엘라임을 잊은 채 마음 편히 보낼 수 있었다. 모두 나보다 여행 경험이 훨씬 많아 헤어지기 전 하나라도 정보를 더 알려주려 노력해 주었는데 그 순간 너무나도 든든했다. 이래서 동행자를 구하는구나 싶은 생각이 들 정도로 큰 힘이 되었다.

알롱과 사쿠가 콜롬비아로 넘어간다는 이야기를 듣고는 '나도 같이 가!'라는 말이 턱 밑까지 올라왔다. 다음 여행지를 건너뛰고

서라도 함께 가고 싶을 정도로 크게 마음이 흔들렸으나 그런 마음이 드는 것 이상으로 '다시 혼자가 되고 싶다'라는 강렬한 추동이 일어났다.

여행을 시작한 지 아직 한 달밖에 되지 않았다. 벌써 혼자 있는 게 낯설어지면 안 된다는 위기의식이 정신을 바짝 차리게 만든다. 배낭여행을 시작한 이상 누군가와 함께 있는 것이 익숙해져서는 안 된다. '이제껏 혼자서 잘했잖아. 괜찮아, 괜찮아.' 마음을 다독이며 홀로 버스터미널로 향했다.

베네수엘라에서의 마지막 일정은 모로코이 국립공원이다. 한 블로그에서 카리브해의 에메랄드빛 해변에 관해 쓴 글을 보고서 '흐음 한 번 가볼까?'라는 생각이 들었다. 여행 계획상 중남미에는 가지 않으니 카리브해를 경험할 수 있는 곳은 이곳밖에 없었다.

사실 바다에서 나고 자란 나로서는 여행지로 굳이 바다를 선택하진 않는다. 지금도 산과 바다 중 하나를 선택해야 한다면 고민할 필요도 없이 단연코 산이다. 아주 어릴 때부터 성인이 되기 직전까지 쭉 바다가 보이는 아파트에서 살아왔기에 서울 사람들이 빌딩을 보는 것처럼 무덤덤 눈빛으로 바다를 바라본다. 여전히 바다보다는 거대한 빌딩이 내 시선을 쉽게 사로잡는다.

바다를 끼고 있는 마을이나 유적지라면 몰라도 오로지 '바다'만 보러 어떤 곳에 여행을 가는 경우는 없지만 '그래도 베네수엘라까지 왔으니까'라는 생각과 에메랄드빛이라면 이제껏 봐오던 바다와는 뭔가 다르지 않을까 하는 호기심으로 모로코이 국립공원을 베네수엘라 마지막 여행지 리스트에 넣었다.

엔젤 폭포 투어가 끝난 직후에도 모로코이 국립공원이 그다지 강하게 끌리지 않았으나, 무엇보다 다른 친구들과 헤어질 때가 되었다는 생각이 마음을 확실히 굳히게 했다.

2

모로코이 국립공원으로 가기 위해는 시우닷 볼리바르에서 발렌시아를 거쳐 투카카스로 가야 한다. 모로코이 국립공원은 여러 섬으로 이루어져 있기에 다시 투카카스에서 보트를 타야만 들어갈 수 있다. 베네수엘라는 여행자가 어느 한 곳이라도 쉽게 가도록 허락하지 않는다.

투카카스에 도착하니, 마치 다른 나라에 온 것처럼 완전히 날씨가 달라졌다. 뜨겁게 내리꽂는 태양과 후덥지근한 공기에 기운이 쭉 빠져버렸다. 지난 며칠간 쉼 없는 일정들로 이미 피로가 충분히 쌓여있던 터라 더위를 방어하지 못한 채 그대로 흡수할 수밖에 없었다.

이곳의 호스텔은 산타 엘레나보다 3배나 비싸다. 유명세로만 보면 로라이마가 있는 산타 엘레나의 호스텔이 더 비싸야 할 것 같은데 국내의 입장은 다른가 보다. 아마 휴양지로 유명한 곳이라 그런게 아닐까 추측해 본다. 어느 나라든 휴양지는 바가지를 씌우기 마련이니까. 그래도 비싼 만큼 에어컨이 팽팽 잘 돌아가는 덕에 잠시 더위를 식히며 쉴 수 있었다.

겨우 체력을 보충하고선 몸을 일으켜 택시를 잡아 선착장으로 향했다. 모로코이 국립공원은 낮에 보트를 타고 들어갔다가 해가 지기 전에 나와야 하기에 서둘러 움직여야 한다. 역시나 관광지답게 선착장에는 보트 삐끼 아저씨들이 북적였다. 하지만 여느 관광지와는 달리 구애에 가까운 적극적인 어필은 없어 부담을 덜 수 있다.

나무 팻말에 쓰인 가격표를 보니 대여섯 개의 섬이 거리에 따라 가격이 책정되어 있다. 그런데 웬걸 입장료가 예상했던 것보다 훨씬 비싸다. 수중엔 200볼 밖에 없는데 가장 가까운 섬이 두 배가 훌쩍 넘는 500볼이다. 곤란해하는 나를 보고 아저씨는 너무나도 쿨하게 200볼에 태워 주겠다고 했다. 다시 숙소에 돌아가 넉넉히 돈을 가져와 멀리 있는 섬까지 갈까 고민하다가 그 정도로 의지가 있는 건 아니라 아저씨의 제안을 수락했다. 그를 따라 부두로 나가니 두 사람이 타면 딱 알맞은 크기의 보트가 파도에 따라 흐느적거리고 있었다.

탈탈탈-

초록빛 물결을 가르며 멍하니 끝없이 이어지는 바닷길을 보며 달린 지 30분도 채 안 되어 아담한 크기의 해변이 있는 섬에 도착했다. 아저씨는 나를 내려주고는 곧바로 배를 돌렸다. 보트가 점점 작아지더니 시야에서 완전히 사라진다.

휑한 모래사장에 홀로 남겨진 나는 덩그러니 서 있다가 바닷물에 두 발을 담가보았다. 물결모양이 굽이굽이 그대로 보인다. 다시 발을 빼고 모래사장으로 올라와 어정쩡하게 서 있다가 그 자리에 풀썩 앉았다. 눈 부신 태양 아래 초록빛 파도가 쏴아아- 밀려왔다가 다시 돌아가기를 반복한다. 마치 엽서 속 그림의 한 부분이 된 것만 같다.

하지만 그 이미지는 두 눈에 가득 찼다가도 마음속 깊숙이 들어가지 못한 채 그대로 사라져 공허하게만 느껴진다. 섬에 도착한 지 얼마 되지도 않았는데 벌써 아무것도 하기 싫다. 수영복이나 책을 챙겨 오지 않아 딱히 할 수 있는 게 없기도 하다. 이 섬의 자연물 색을 본뜬 듯 연두색, 베이지색, 하늘색의 파라솔과 의자가 한 세트로 줄지어 늘어서 있다. 그중 한자리를 차지하고 멍하니 바다를 바라보았다.

쏴아아- 쏴아아-

해변에는 남매로 보이는 귀여운 여자아이와 남자아이가 모래 위에 그림을 그리며 놀고 있다. 어디선가 노랫소리가 들린다 싶더니 바다 위에서 요트 파티를 즐기는 사람들이 보인다. 모두가 밝은 표정으로 휴양을 즐기는 이곳에서 오직 나만이 탈출을 꿈꾸는 표류자 같다.

저 멀리서 누군가가 나를 향해 다가온다 싶더니 내 앞에서 발걸음을 멈춰 섰다. 그는 파라솔 관리자로 보이는데 스페인어라 정확히 알아듣지는 못하지만, 이곳에 앉으려면 돈을 내야 한다고 말하는 듯하다. 잔뜩 풀이 죽은 얼굴로 자리에서 일어나 터벅터벅 근처 나무 그늘로 걸어갔다(물론 미안하다는 표정으로 친절하게 말씀하셨지만). 이럴 줄 알았으면 돈을 더 가져와 볼거리가 많다는 먼 섬까지 가서 맛있는 것도 사 먹고 편하게 파라솔 아래에서 쉬었을 텐데. 뭐, 그렇게 했더라도 지금보다 기분이 썩 나아질 것 같진 않지만. 햇빛 알레르기로 발등이 다시 가려워지기 시작했다.

괜한 고집을 부린 걸까? 두 손 놓고 멍하니 시간을 보내는 내 모습에 짜증이 나다가 점차 서러워졌다. 분명 친구들과 함께 왔으면 달랐을 거다. 아니 차라리 쭉 혼자 여행했더라면 오히려 이런 상황을 즐겼을지도 모른다. 그들이 있었던 자리가 뻥하고 구멍이 뚫려 찬바람이 휘리릭- 들어온다. 참 신기하다. 얼마 전까지만 해도 그들은 나에게 완전한 이방인이었는데. 남미에서의 시간은 일상과 다르게 흘러가나 보다.

그러다 문득 보트 아저씨가 나를 데리러 오지 않을 수도 있다는 생각이 들었다. 배값의 반도 안 드렸으니 아주 말이 안 되는 건 아니다. 혼자 남겨지는 것에 대한 공포가 파도와 함께 휩쓸려 온다. 만약 밤늦게까지 보트가 오지 않아도 파라솔 관리자는 어쩔 수 없다는 표정을 지으며 "그래도 파라솔에서 자면 안 돼요."라고 하겠지? 허탈한 웃음이 지어졌다.

그런 우려와는 달리 탈탈탈- 익숙한 소리를 내며 보트 아저씨가 제시간에 맞추어 데리러 왔다. 내 속을 알 리 없는 아저씨는 밝게 웃으며 "어땠어요?"라고 물어보았다. 그에 "좋았어요."라는 형식적인 답을 할 수밖에. 아무렇지 않은 척 엉덩이에 묻은 모래를 툭툭 털고 보트에 올라탔다. 점점 작아지는 섬을 바라보면서 얼마나 안심이 되던지.

3

되돌아보면 그 섬에서의 불안하고 공허한 기나긴 시간은 나에게 꼭 필요했다. 삶에서 안정적이거나 웃게 하는 것만이 의미 있는 게 아니니까. 누군가를 만나더라도 결국 혼자 남을 수밖에 없는 순간을 또다시 선택해야만 한다(스스로 선택하지 않아도 그렇게 되기도 하고). 이 여행을 선택한 이상 외딴섬에 혼자 남겨진 것만 같은 기분을 느끼는 건 숙명이다.

물론 여행에서 뿐만은 아니지만.

오고 가는 파도를 멍하니 바라본다

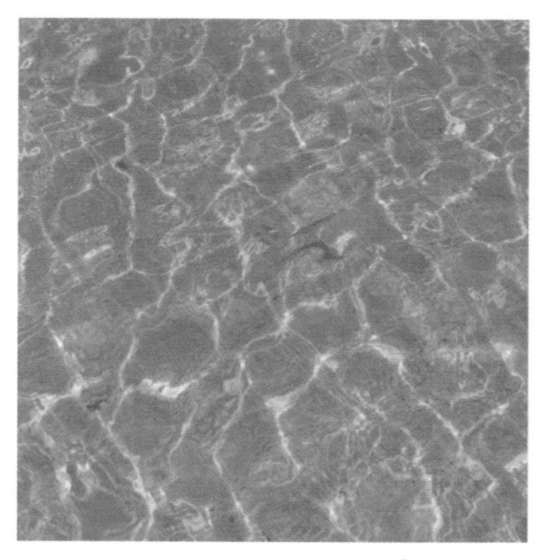

투명한 초록빛 카리브해

고물 택시를 타고 콜롬비아로

발렌시아에서 밤 버스를 타고 국경도시 산크리스토발에 도착하니 새벽 5시도 채 안 되었다. 버스터미널 바깥 세계는 멈춘 듯 고요하다. 섣불리 나가면 안 될 것만 같은 음침한 분위기를 풍긴다. 터미널 내부에는 나와 같은 신세의 사람들이 꽤 많지만, 이들은 모두 현지인이다. 주위를 아무리 둘러봐도 외국인 배낭여행자는 나 한 사람뿐.

배낭여행자들은 서로를 쉽게 발견할 수 있다. 옷차림이나 배낭뿐만 아니라 그들이 풍기는 정돈되지 않은 자유로운 분위기에서 단번에 알아볼 수 있다. 한국에 돌아가서도 그 분위기가 그대로 유지가 된다면 얼마나 좋을까? 우리는 눈이 마주치면 누가 먼저랄 것도 없이 "Hi!", "Hello."하고 인사한다. 구태여 어떤 말을 이어가지 않더라도 자신과 비슷한 종류의 사람이 시야 내에 있다는 것만으로도 큰 위안이 된다. 대개 붙임성이 좋아 금세 옆으로 다가와 어디서 왔는지 또 어디로 갈 건지 등 이것저것 물어본다. 물론 나 역시 배낭여행 한정 붙임성이 있었다.

사람들은 희미한 등 아래 집중적으로 포진해 있는데, 마땅히 앉을 곳이 없이 땅바닥에 자리 잡고 앉아 있다. 물론 대합실에 의자가 몇 줄이 있으나 그곳은 사람의 실루엣만 겨우 확인할 수 있을 정도로 어두워 뭔가 잘못된 일이 벌어질 것만 같아 쉽사리 갈 엄두가 나질 않았다.

다른 사람들과 마찬가지로 나 역시 적당한 거리를 두고 바닥에 털썩 앉았다. 옆에는 고등학생쯤으로 보이는 두 여자아이가 있어서 그래도 이곳이 그리 위험한 곳은 아닐 거라는 생각이 들었다. 물론 중간에 길거리 생활을 십 년은 넘게 한 듯 보이는 노인이 불쑥 나타나 돈을 달라고 하여 깜짝 놀라긴 했으나 정중히 거절하니 순순히 물러섰기에 큰 위협이 되지 않았다.

캄캄하던 터미널 안으로 빛줄기가 서서히 들어오더니 어느새 멈춰 있던 세계가 천천히 움직였다. 새벽의 고요한 시간이 거짓말처럼 느껴질 정도로 사람들이 어디서 갑자기 튀어나왔는지 터미널 주변이 북적인다. 이 밤이 무사히 지나갔다는 것에 안도하게 된다.

콜롬비아로 가기 위해서는 브라질에서 베네수엘라로 넘어왔던 것처럼 택시를 타야 한다. 택시로 국경을 넘는다는 건 영 찜찜한 일이 아닐 수 없지만, 다른 선택지가 없다. 주변을 둘러보니 건너편에 택시가 몇 대 줄지어 서 있었다. 발을 옮기려는 순간, 건장한 체격의 남자 경찰 두 사람이 내 앞을 가로막았다.

"잠깐 멈추세요. 어느 나라 사람입니까?"

180cm 가까이 되는 커다란 남성이 우뚝 서 있으니 엄청난 위압감이 느껴진다.

"저는 한국에서 왔어요. 지금 막 콜롬비아로 넘어가려고 해요."

잔뜩 긴장하여 본능적으로 방어 태세를 취했다. 순간 어디선가 베네수엘라는 경찰이 제일 나쁜 놈이고 도둑놈이라는 이야기를 들은 게 떠올랐다. 경찰조직이 워낙 부패한 터라 자국민들도 그들을 신뢰하지 않는다. 5분만 일찍 택시를 잡아탔다면 마음 편히 베네수엘라를 훌훌 떠날 수 있었을 텐데. 경찰이 뇌물을 요구할 수도 있고 최악의 경우 여권을 빼앗길 수도 있다는 생각에 겁이 났다. 불길한 예감은 틀리지 않는다더니 이들은 심각한 표정으로 서로 대화를 나누다가 어떤 결정을 내린 듯 단호하게 여권을 달라고 했다.

외국에서 여권은 나의 신분을 증명할 수 있는 유일한 도구이다. 목숨처럼 철저히 지켜야 한다는 건 기본 중 기본. 여권이 없다면 불법 체류자 신세… 까지는 아니라도 여러모로 복잡해진다(지금은 어떤지 몰라도 보고타에서 여권을 잃어버려 한 달간 꼼짝없이 발이 묶인 한국인을 만난 적이 있다).

하지만 경찰이 여권을 달라는데 무슨 수로 거절할 수 있을까? 마지못해 여권을 내어주고 최대한 불쌍한 표정을 지어 보였다. 조금 굴욕스럽긴 했으나 얼른 이들이 나를 보내주길 바랄 뿐이다. 그들은 찬찬히 내 여권을 살펴보더니 조금씩 웃기도 하며 풀어진 표정으로 대화를 나누었다(내 사진이 웃긴가?).

“저기 있는 택시를 타고 가면 됩니다.”

경찰관은 인심 쓰듯 여권을 돌려주며 줄지어 선 여러 택시 중 하나를 콕 집었다.

"Gracias(감사합니다)."

아주 잠깐 사이 십 년은 더 늙은 것 같다. 그래도 안도하며 경찰관이 지정한 택시로 다가갔는데 이게 웬걸 아주 오래된 고물 택시이다. 기사에게 커미션을 받는 게 아닌지 의심스러울 정도로 낡은 택시의 내부를 들여다보니 운전석 쪽에는 전선이 복잡하게 엉켜서 외부로 드러나 있었고, 시트에 먼지가 뽀얗게 쌓인 데다 이곳저곳 뜯겨 나가 있었다. 마음이 심란했으나 하나하나 짚고 넘어가기엔 내 스페인어는 형편없다.

이 택시로는 무사히 국경을 넘을 수 없을 것 같아 다른 택시를 찾아야 하는 건 아닌지 잠시 고민했으나, 경찰이 나를 지켜보고 있을지도 모른다는 생각이 들었다. 만약 내가 다른 택시를 탄다면 수상한 사람으로 오해하여 잡으러 올 것만 같달까? 단념하고 짐을 실을 수밖에. 택시에는 젊은 부부와 꼬마 아이가 동승하게 되었다.

걱정과는 달리 나이가 지긋하신 택시 기사가 모는 고물 택시는 구불구불한 도로와 오르락내리락 경사진 길을 별문제 없이 움직였다. 파란 하늘에 하얀 구름이 동동 떠다녔고 초록빛 시골의 정경이 눈을 말끔히 씻겨주었다. 모로코이 국립공원을 기점으로 베네수엘라와는 인연을 다했다는 생각에 얼른 콜롬비아로 넘어가고 싶어졌다. 아니 '벗어나고 싶다'는 표현이 더 맞을지도 모르겠다.

택시가 멈춘 곳은 콜롬비아 출입국사무소였다. 그전에 베네수엘라 출입국사무소에서 출국 도장을 찍어야 하는 나로서는 선뜻 내리지 못하고 당황할 수밖에 없었다. '베네수엘라 출국 도장을 찍지 않으면 콜롬비아에서 입국 도장을 찍기 어렵지 않나?' 다급하게 택시 기사 아저씨에게 여권에 도장을 찍는 시늉을 하며 우리가 달려온 길을 가리켰다. 하지만 택시기사는 '어쩌란 소리야?'라는 표정으로 고개를 저을 뿐이다. 뒷좌석에 앉은 젊은 부부도 나에게 어떤 설명도 해주지 않았다. 어쩌면 출국 도장 따위는 상관없어서 인지도 모르겠으나 최대한 콜롬비아 입국에 문제를 일으키고 싶지 않아 다시 내 의견을 열심히 피력했다. 그러나 아저씨는 돌아갈 마음이 전혀 없어 보였다.

혼자라도 출국 도장을 찍기 위해 택시를 박차고 도롯가로 나왔으나 여기가 도대체 어딘지 머리가 핑핑 돈다. 일단 오던 길을 돌아가려고 마음먹은 순간, 저 멀리서 오토바이 한 대가 다가왔다. 긴 갈색 곱슬머리를 가진 젊은 여자가 구세주처럼 나타나 내 앞에 멈추어 섰다.

"혹시 도움이 필요해?"

그녀는 나를 물끄러미 바라보며 유창한 영어로 말했다. 정신을 차려보니 주변에는 그녀처럼 오토바이를 탄 사람들이 많이 보였다. 어쩌면 그녀는 '이런 일'을 전문적으로 하는 사람인지도 모른다. 그래서 당황한 외국인의 흔들리는 동공을 캐치하는 능력이 있는 거지.

"베네수엘라 출국 도장을 찍어야 하는데 택시기사가 이곳에 내려줬어."

"아~ 알겠어. 별로 멀지 않아. 내 뒤에 타면 돼."
그녀는 아주 믿음직스러운 얼굴로 씽긋 미소 지었다.

그녀의 말처럼 베네수엘라 출입국사무소는 그리 멀지 않았다. 거의 10분 만에 도착한 것 같다(어쩌면 그보다 덜 걸렸을지도). 그녀는 밖에서 기다릴 테니 도장을 찍고 나오면 된다고 했다. 건물에 들어가서는 줄이 길지 않아 5분도 채 안 걸려 도장을 찍고 나왔다. 그녀는 나를 다시 오토바이 뒤에 태우고 콜롬비아 출입국사무소에 내려주어 입국 도장을 찍을 때까지 기다려 주고, 버스터미널까지 무사히 데려다주었다. 물론 그녀에게 비용을 냈지만 깔끔하게 두 번째 국경을 넘을 수 있는 것에 비하면 아깝지 않은 돈이다. 역시 베네수엘라에서 이동하려면 두 가지 이동 수단은 거쳐야 한다는 것이 확실해졌다.

그녀는 밝게 미소 지으며 "여행 잘해!"라며 손을 흔들어 인사하고는 오토바이를 타고 유유히 사라졌다. 지금도 그녀는 오토바이로 국경을 넘나들며 방황하는 여행자를 구해주고 있을까? 어쩐지 다시 그곳에 가면 단번에 그녀를 알아볼 수 있을 것 같다.

제대로 갈 수 있을까 의심하게 만드는 택시 내부...!

TAXI

여유로운 대도시 여행

1

보고타로 향하는 버스 안. 옆자리에 두툼한 군복을 입은 군인 아저씨가 전쟁터 한복판에 있는 어린아이를 만난 듯 나를 무척이나 신기하게 바라본다. 그는 이런 위험한 여행을 하는 내가 전혀 이해가 가지 않는다는 듯 여러 차례 고개를 갸우뚱거렸고 걱정 어린 눈길을 잔뜩 내비쳤다. 계속해서 번역기를 써가며 '얼마나 여행할 건지', '걱정이 되지 않는지'와 같은 것들을 꼬치꼬치 물어보시는데, 그런 질문을 받으면 '나… 걱정해야 하는 건가?'라는 생각에 살짝 당황스러워진다.

하지만 자신이 살아가는 데 전혀 도움 될 리 없는 스쳐 지나가는 (가난한) 여행자에게 보내는 호기심은 무척이나 순수하게 느껴진다. 그래서 눈꺼풀이 무거운 순간에도 미소 지으며 답할 수 있게 된다.

그는 추운 버스 안에서 본인이 덮고 있던 담요를 한 꺼풀 열어 무릎에 덮어 주었다. 그러자 금세 따뜻한 온기가 옮겨져 왔다. 국경을 넘으며 심란했던 마음이 비로소 진정되는 듯하다.

그는 내가 묵으려는 호스텔이 혹시 마약 소굴은 아닌지 확인하기 위해 터미널에 도착하자마자 앞장서서 인포메이션 센터로 성큼성큼 걸어가 주소를 확인해 주었다. 그리고 또다시 큰길로 나가 직접 택시 기사에게 택시비를 확인하고 나서야 마음이 놓인다는 듯 미소 지어 보였다. 그는 메모지에 자신의 이름과 전화번호, 메일 주소를 적어 주며 도움이 필요한 일이 생기면 언제든 연락하라고 말했다.

이름처럼 천사 같은 가브리엘 아저씨. 그를 떠올릴 때면 무릎 위에 따뜻한 담요가 덮인 듯 온기가 느껴진다. 나에게도 누군가에게 전해 줄 수 있는 온기가 있다면, 아니 그보다 기꺼이 담요를 얹어 줄 따뜻한 마음이 있다면 얼마나 좋을까.

늦은 저녁 보고타에 도착하여 호스텔 문을 두드리니 호스트가 반갑게 맞이해 주었다. 호스텔 안으로 들어서자마자 벽 한가운데 태극기가 걸려있어 심상치 않은 기운을 감지했는데 아니나 다를까 안쪽으로 더 들어가니 거실 겸 주방인 작은 공간에 대여섯 명 정도의 한국 사람들이 복작복작 모여 저녁을 준비하고 있었다.

'어라 분명 한인 숙소가 아니었는데?' 여행하며 이렇게 많은 한국 사람을 마주하는 건 처음이라 반가움보다는 당혹스러운 마음이 더 컸다. 새로운 인물의 등장에 상대 쪽도 놀란 것 같다. 하지만 이내 "한국 사람이세요?"라며 먼저 반갑게 맞아주셨고 "네, 안녕하세요."라며 어색하게 웃으며 인사를 했다. 여행 초기로 다시 리셋되는 기분이다.

"어디서 오는 길이세요?"

"아 저는 베네수엘라에서 바로 넘어왔어요."

대답이 끝나자마자 미리 맞춘 듯 동시에 "우와~"하고 탄성이 터져 나왔다. 어떤 분은 베네수엘라에 가는 게 가능하냐며 되묻기까지 했다. 이런 반응을 보니 이렇게 무사한 건 역시 운이 좋았기 때문이라고 인정할 수밖에 없다.

호스트 존의 안내로 4명이 함께 쓰는 여자 도미토리에 짐을 풀었다. 모두 한국 사람이라 다시금 한인 숙소가 아닌지 의심하게 된다. 영어를 쓰지 않고 대화를 할 수 있는 한국 사람을 만나면 더 편하고 즐거워야 하는데 어쩐지 더 굳어버려 뚝딱거리게 된다. 석 달 가까이 한국인을 본 적이 없었으니 당연한 건지도 모르겠다.

'뭐 점점 익숙해지겠지.' 하며 짐을 대충 침대 옆에 펼쳐두었다. 새로운 숙소에 무사히 도착했다는 사실에 긴장이 완전히 풀어져 버려 아주 깊이 잠들게 되었다.

다음날 늦은 아침까지 실컷 침대에서 늑장을 부리다 점심때가 되어서야 주섬주섬 나갈 준비를 했다. 한낮의 보고타는 활기차고 바쁘게 움직인다. 도시는 어디든 특유의 북적거리고 정신없는 분위기가 있다. 게다가 직장인의 점심시간과 겹쳐버리는 바람에 길에는 사람들이 넘쳐났다.

신기하게도 모두가 조금 전까지 회사에서 일하다가 나온 거라 믿기지 않을 정도로 표정이 밝고 생기가 넘쳤다. 빨간 트롤리버스도 신나게 도로를 가로질러 간다. 보고타는 특이하게도 세계의 대도시 중에 유일하게 지하철이 없다. 그래서 교통체증도 막심하다고 하는데, 나처럼 며칠 관광하는 사람에게는 큰 문제가 되지 않지만,

사는 사람들은 엄청 불편할 것 같다.

이곳에 상주하는 직장인이나 대학생처럼 머리 아프게 처리해야 할 일이나 마쳐야 할 공부가 있는 것도 아니니 보고타에서 보낸 일주일은 무척이나 여유로웠다고 기억된다. 어쩌면 힘들게 올라야 할 산이 있는 것도, 가는 길이 험한 폭포나 사막도 없었기 때문일 수도 있지만, 무엇보다도 매일 같이 미술관과 박물관 그리고 카페에서 보낸 시간이 그런 인상을 깊이 남겨주었다.

2

보고타의 심장이라고 불리는 볼리바르 광장은 이제껏 봐왔던 광장중에서 가장 크다. 광장은 대성당, 의회, 대법원, 시청, 대통령궁과 같은 주요한 건물들로 둘러싸여 있고 그 중앙에는 시몬 볼리바르 동상이 하늘 높이 우뚝 세워져 있다. 그는 베네수엘라 출신의 독립운동가이자 군인으로 무장투쟁을 통하여 식민지였던 파나마, 에콰도르, 콜롬비아, 베네수엘라, 페루, 볼리비아를 스페인으로부터 독립시킨 대단한 인물이다. 볼리바르 광장은 콜롬비아뿐만 아니라 페루, 볼리비아에서도 쉽게 볼 수 있다. 물론 보고타만큼 크지는 않지만.

가장 시선을 사로잡은 건 고풍스러운 멋진 건물이나 동상보다 사람 수를 훨씬 웃돌아 보이는 비둘기의 개체 수이다. 비둘기에 시선이 뺏겨 볼리바르 동상이 있는 건 한참 뒤에 알게 될 정도였다. 같은 방을 쓰는 한국인 언니는 느릿느릿 걸어가던 뚱뚱한 비둘기가 다가오는 택시를 전혀 피하지 않고 걸어가는 걸 보곤 '어라 위험하겠는데?'라고 생각하는 순간 비둘기가 택시 바퀴에 말려들어 가는 끔찍한 장면을 봤다고 했다. 눈이 질끈 감긴다.

광장에서 조금만 더 걸어가면 사랑스러운 보테로 미술관이 나온다. 페르난도 보테로는 남미를 대표하는 미술가로 그의 작품은 모든 게 뚱뚱하다. 여자, 남자, 동물 심지어 꽃과 과일까지도. 보테로는 자신은 뚱뚱하게 그리는 게 아니라 확장해서 그릴 뿐이라고 했다. 무슨 차이인지는 모르겠으나 그런 그의 작품관 덕에 이곳에서는 무척 흥미롭고 재밌는 그림과 조각을 잔뜩 구경할 수 있다. 그의 대표작 뚱뚱한 모나리자 옆에서 사진을 찍었는데 사진을 확인해 보니 나도 모나리자처럼 푸둥푸둥 살이 오를 대로 올라 있었다. 이건 호스텔에서 아침 식사로 나오는 빵을 너무 많이 먹은 탓이다. 그것도 버터를 잔뜩 발라서.

보테로 미술관 중앙은 분수와 정원으로 아름답게 꾸며져 있다. 그 덕에 다음으로 이어진 건물로 가기 전에 따스한 햇볕을 쬐며 리프레쉬할 수 있다. 멋진 작품들을 감상하여 기분이 한층 들떠있었고 유독 하늘이 푸르르고 구름이 포근해 보였다. 하늘을 올려다보며 이 유유자적함을 한껏 느끼고 던 찰나였다.

누군가가 나를 부르는 듯한 목소리에 고개를 돌려보니 고등학생 정도로 보이는 상기된 표정의 콜롬비아 학생들이 마치 유명인이라도 발견한 것처럼 나를 빤히 바라보고 있었다.

"안녕하세요! 한국 사람이세요?"

다른 학생들보다 한 발짝 앞서 있는 밝고 건강한 미소의 여학생이 유창한 한국어로 인사를 건넸다.

"안녕하세요? 네, 한국에서 왔어요. 한국어를 정말 잘하시네요!"

한국어를 이렇게 잘하는 남미 사람은 처음 본 나 역시 무척 신기했다.

"네! 공부하고 있어요. 혹시… 같이 사진 찍어도 되나요?"

뒤에 있는 네다섯 명 정도의 학생들이 동그란 눈으로 기대에 차 나를 바라보았다.

"아 네, 뭐… 좋아요."

학생들은 입을 모아 "감사합니다!"라고 하며 나와 함께 사진을 찍었다. 사실 남미에서 사진 요청은 이번이 처음이 아니다. 로라이마 베이스캠프에 도착한 첫날 10대로 보이는 소녀가 자신의 뒤에 서 있는 키가 크고 굉장히 수줍은 표정을 하는 소년을 가리키며 친구가 같이 사진을 찍고 싶어 하는데 같이 찍어줄 수 있냐고 물어본 적이 있다. 꽤 당황스러운 요청이었지만 그에 응해주었다.

남미에서는 어떤 이유인지 나와 같이 사진을 찍고 싶은 사람이 꽤 있었다. "저기, 저와 사진을 찍고 싶은 이유가 뭐죠?"라고 물어볼 만도 했지만, 왠지 민망하여 물어보지 않았다. '한류 열풍이 남미까지 간 건가?' 싶지만 그런 것과 나는 별로 상관없지 않나 싶기도 하고. 아무튼, 상대 쪽이 조심스러운 태도로 (하지만 잔뜩 기대한다는 듯한 눈빛으로) 부탁하면 거절하기가 힘들다. 이후에도 그런 부탁이 많았고 모두 응해준 탓에 지금도 내 사진은 남미 곳곳에 떠돌고 있을 거라 예상된다. 혹은 며칠 안 가 "이런 사람이랑 도대체 왜 사진을 찍은 거야?"하고 지웠을 수도 있지만.

신이 난 학생들과 한창 사진을 찍는 데 익숙한 사람이 눈앞을 스쳐 지나갔다. 그는 엔젤 폭포로 가는 길에 만난 일본인 할아버지 이지마상이었다. 이지마상은 우리와 달리 단체로 팀을 짜서 움직이지 않고 개인적으로 투어를 신청하여 일본어를 잘하는 가이드와 단둘이 움직였다. 스페인어도 영어도 서툰 이지마상은 사쿠를 보며 상당히 반가워하며 아주 긴 대화를 나눴다. 그런 그가 이렇게 자유롭게 남미를 여행할 수 있는 건 충분한 재력이 있기 때문이라는 합리적인 생각이 든다. 나는 아직 그 정도의 능력은 없으니 외국어 공부를 열심히 해야겠다.

이지마상도 나를 기억하는지 활짝 웃으며 반갑게 인사했다. 그는 일본 특유의 힐링 영화에 나오는 인물과 같은 친근한 인상이라 더욱 정감이 갔다. 잠깐 스친 인연일 뿐인데 또 다른 나라에서 이렇게 우연히 만나니 무척 반가웠다. 어느 숙소에서 지내냐는 질문에 그는 근처 호텔에 투숙 중이라고 했다. 역시 도미토리를 전전하는 나와는 다르다.

3

페이스북으로 사쿠와 연락이 닿았다.

사쿠는 아직 알롱과 함께 있었고, 알고 보니 내가 머무는 호스텔에서 그리 멀지 않은 곳에 투숙 중이었다. 우리는 3시에 황금박물관 앞에서 만나기로 했다.

약속 시간까지 시간이 아직 많이 남아 같은 방을 쓰는 S언니와 함께 겨울 점퍼를 사러 쇼핑몰에 갔다. 호스트 존의 어머니께서 싸고 괜찮은 옷이 많다고 추천해 주신 곳이다. 내가 가진 옷은 얇은 옷뿐이라 늘 버스 안에서 추위에 떨었기에 이번 기회에 제대로 된 겉옷을 장만하고자 마음먹었다.

커다란 쇼핑몰을 빙빙 돌다 벽에 걸려있는 가죽점퍼 하나가 눈에 들어왔다. 안쪽에 인조털이 달린 짙은 회색빛의 가죽점퍼였는데 가격은 오만 원으로 배낭여행자에게는 꽤 사치스럽다. 조금 망설여졌지만, 사장님이 하나밖에 안 남았다고 했고, 언니가 나와 정말 잘 어울린다고 해서 충동적으로 구매했다(그래도 여행 내내 잘 입고 다녔으니…).

쇼핑을 마친 후 언니는 장을 보러 갔고 나는 약속 시간보다 이십 분 일찍 도착해버려 박물관 입구 계단에 쭈그려 앉았다. 기다리는 동안 문득 친구들과의 재회가 어색하면 어떡하나 걱정이 되었다. 여기서는 어떤 목적지까지 함께 도달해야 하는 미션이 있는 것도 아닌 데다가 정말 '보통 친구'처럼 만나는 건 처음이니까(이렇게 쓰고 보니 표현이 이상하다).

이런 잡생각으로 멍하니 있는데 정신을 차려보니 저 멀리서 알롱이 나에게로 다가오고 있었다. 깜짝 놀라 나도 모르게 벌떡 일어나고 말았는데 그는 엄청 시크한 표정으로 앉으라는 듯 손을 휘휘 위아래로 움직이며 자연스럽게 옆에 나란히 앉았다.

얼마 지나지 않아 콜롬비아 친구와의 약속을 마치고 뒤늦게 합류하는 사쿠가 멀리서 반갑게 손을 흔들었다. 알롱과 나도 그에게 손을 흔들며 자리에서 일어났다. 우리는 먼저 황금박물관을 구경하기 위해 건물 안으로 들어갔다. 황금박물관 역시 보고타를 대표하는 관광지이긴 하지만 나에게는 친구들을 다시 만나는 재회 장소 이상의 감흥을 주지는 못했다. 눈앞에 번쩍이는 무수히 많은 황금과 세밀한 세공이 신기하긴 했지만, 가질 수도 없는 차가운 황금이 무슨 소용이겠는가.

박물관을 나와 거리를 걸으며 어디로 갈지 이야기하는 도중 오후 내내 우중충했던 하늘에서 본격적으로 비가 내리기 시작했다. 우수수- 내리꽂는 비에 온도가 급격히 떨어지면서 몸이 으슬으슬 추워졌다. 갑작스러운 비에 당황했지만 일단 걷다 보면 카페가 나올 거라 생각하며 우리는 길을 나섰다. 하지만 거리마다 쉽게 발견할 수 있던 카페들이 순식간에 어디론가 사라졌는지 아무리 두리번거려도 보이질 않았다. 콜롬비아는 커피의 나라가 아니었나?

빗줄기가 점점 더 거세게 몰아쳐 지쳐갈 즈음 우리 눈앞에 노란 불빛이 켜져 있는 자그마한 카페가 나타났다. 다급히 들어간 카페는 마치 바깥과는 다른 세상인 듯 평온했다. 카페는 테이블이 서너 개 정도 있는 아담한 크기였고 손님은 우리밖에 없었다. 우리를 위해 기다렸다는 듯한 따스하고 인자한 인상을 준다. 작은 라테를 시켰는데 우리나라 돈으로 단돈 800원밖에 하지 않는다.

주문하고 자리에 앉아서야 여유롭게 서로 얼굴을 마주 볼 수 있었다. 베네수엘라에서 헤어졌을 때는 어쩌면 그들을 마지막으로 보는 걸지도 모른다고 생각했는데 이렇게 얼마 안 가 만날 줄이야. 반가워서 마음이 방방 뜨기보다는 마치 어제 만난 것처럼 편안하여 오히려 좋았다. 살아가면서 편안함을 느낄 수 있는 관계는 그리 쉽게 만날 수 있는 게 아니다.

이야기를 나누는 내내 머리 위에 '아~ 정말 즐겁다!'라는 말풍선이 둥둥 떠다닌다. 서로 모국어가 달라 영어로 대화하지만 불편함이 느껴지지 않을 정도로 물 흐르듯 대화가 흘러갔다. 영어를 유창히 잘하는 두 사람이 나를 무척이나 배려해 준 덕이다.

우리는 각자 나라의 독특한 문화에 관해서도 이야기하고 (사쿠는 일본 사람이 왜 이렇게 "스미마셍"을 많이 하는지 모르겠다고 했고, 알롱은 한국에서 "밥 먹었니?"가 인사인 게 신기하다고 했다), 남자와 여자의 생각 차이, 마침 티브이에서 방영하는 스페인어 더빙판 〈시크릿 가든〉 등 다양한 주제로 이야기를 나눴다. 배낭여행 도중이라는 걸 잊을 정도로 일상적이고 따뜻한 이 시간이 무척이나 소중하게 느껴진다. 아무래도 며칠간 보고타에 머무르며 쉬는 동안 마음이 조금 약해졌나 보다.

그렇게 이야기가 꼬리에 꼬리를 물다 보니 어느새 하늘은 어둑어둑해져 있었다. 여전히 많은 비가 내린 탓에 우리는 호스텔이 모여있는 거리까지 뛰어갈 수밖에 없었다. 생각해 보니 우산을 쉽게 살 수 있는 대도시임에도 아무도 우산을 사자는 말을 하지 않았다. 우리 셋 모두 비를 맞으며 고생하는 여행에 익숙해졌나 보다. 사쿠와 알롱의 숙소는 내가 머무는 호스텔보다 가까운 곳에 있어 먼저 그들을 보내야 했다.

추적추적 내리는 비 아래에서 흠뻑 젖은 얼굴로 포옹하며 작별 인사를 했다. 한 명씩 포옹하는데 눈물이 왈칵 나올 것만 같은 찡한 기분이 들었다. 분명 언젠가 다시 만날 수 있을 거라 생각했는데도 말이다.

어쩌면 마음속 깊은 곳에서는 오랫동안 이들을 만나기 힘들 걸 알았는지도 모른다. 여행에서 이런 순간을 맞이할 거라 미처 예상하지 못했다. 마음이 우르르 내려앉는 것만 같다.

밤늦도록 비가 그치지 않았다.

아이스크림은 사랑입니다♡

남미 뚜루차(송어)
요리는 최고!

보테로 박물관
뚱뚱한 모나리자~
빵을 많이 먹어
포동포동
볼리바르 광장 with 울기
뒤뚱뒤뚱
징..징그러..
친구들과 함께하는
행복한 카페타임~♪
기약없는 만남...

무신론자도 기도하게 하는 곳

1

무신론자인 나는 여행 중에 수많은 교회와 성당을 만났음에도 별다른 감흥이 없었다. 커다란 관공서나 우체국을 볼 때와 다름없는 눈으로 교회나 성당을 바라봤고(어쩐지 불경해 보이지만), 시간이 넉넉해도 머리만 빼꼼 넣어 스윽 둘러보고 나오기 일쑤였다.

하지만 바실리카 성당에서는 그 압도하는 분위기에 홀린 듯 깊숙이 빨려 들어가 버렸다. 물론 그전에 봤던 곳들에 비해 바실리카 성당은 비교할 수 없을 정도로 웅장하고 아름다웠기 때문인지도 모른다. 그러나 그런 걸 떠나서라도 그 안에는 어떤 신성한 힘이 작용했다고 생각된다.

이상하게도 여행 노트에는 바실리카 성당 안에서 보낸 시간이 언급되어 있지 않다. 반면 키토에서의 일상 이야기는 시시콜콜 자잘한 이야기까지 기록되어 있다. 배가 아파서 화장실에 자주 들락거렸다는 tmi부터, 배불리 먹은 새우볶음밥, 저렴한 대형 마트를 찾아 기분이 좋다는 이야기, 적도 박물관에서 계란을 세운 이야기, 여권을 안 가져와서 적도 스탬프를 찍지 못해 아쉬웠다 등과 같은 자잘한 이야기 말이다. 반면 바실리카 성당에 대해서는 아주 짤막하게 언급되어 있을 뿐이다.

호스텔에서 길을 건너 조금만 올라가니 어마어마하게 큰 바실리카 성당이 보였다. 멀리서 볼 때보다 더 웅장하고 멋졌다. 근데 아직도 지어지는 중이라고… 언제 완공될까?

내가 남긴 이 부실한 정보에 적잖이 당황할 수밖에 없었다. 나에게는 에콰도르라고 한다면 바실리카 성당에서 보낸 시간이 가장 먼저, 중요하게 떠올려지기 때문이다. 어떤 장소나 대상 혹은 행위는 시간이 한참 흐르고서야 그 의미가 중요하게 떠오르는지도 모르겠다.

에콰도르는 다음 여행지인 페루에 가기 위해 잠시 거쳐 가는 나라 정도로만 여겼기에 수도인 키토에서만 머물렀다. 사실 다양한 종의 거북이와 도마뱀을 볼 수 있는 '살아있는 박물관'이라 칭해지는 갈라파고스 제도에 가고 싶었으나 수중에 있는 돈으로는 턱없이 부족했다. 무리해서라도 갈 수는 있었지만, 아직 남은 일정이 많아 아껴두기로 했다. 바다 거북이와의 스쿠버 다이빙은 다음을 기약하자.

에콰도르는 남미에서도 물가가 저렴한 축에 속해 열흘이나 머물렀다. S언니의 추천으로 알게 된 벨몬트 호스텔에서 다른 곳으로 옮기지 않고 그대로 쭉 지냈다. 방 안에 개인 화장실이 포함되어 있고, 싱글 침대와 작은 에어컨이 있으니 더는 필요한 게 없었다. 눅눅한 공기가 가득했지만, 남미의 호스텔 중 뽀송뽀송하다거나 건조한 곳은 선택지에 거의 없으니 큰 문제가 되지 않는다. 무엇보다 3층이나 되는 건물이 상당히 아늑하게 느껴질 정도로 고요한 게 마음에 들었다. 난 시끄러운 파티 호스텔은 딱 질색이다.

2

아침 일찍 미구엘 역에서 내려 경찰 아저씨의 도움으로 호스텔을 쉽게 찾을 수 있었다. 초인종을 누르니 사모님께서 활짝 웃으며 문을 열어주시고, 그 뒤에는 인상이 좋은 사장님과 귀여운 꼬마 남자아이가 서 있었다. 사모님은 나를 3층 맨 끝 방으로 안내해 주셨다. 짐을 풀고 시계를 보니 12시밖에 되지 않아 주변을 구경하기로 했다. 따스한 햇볕 아래 조용한 동네 분위기가 마음에 쏙 든다.

키토는 구시가지가 그대로 잘 보존되어 있다. 거리를 걸어가면 과거 여행을 하는 듯 그림 같은 옛 건물들이 쫙 펼쳐진다. 큰 광장으로 나가니 사람들이 많이 모여있었지만 어쩐지 복잡하다거나 정신없다는 인상을 주지 않는다. 거리 위 사람들은 행복한 표정을 지으며 느긋하게 움직인다.

키토는 보고타와 마찬가지로 수도이지만 모든 것들이 훨씬 여유롭게 흘러간다. 심지어 구름조차도 0.5 배속으로 천천히 움직이는 듯하다. 분수 주위를 뛰어다니며 즐거워하는 아이들을 바라보니 이런 곳이 사람 사는 동네구나 싶다. 흐뭇한 미소가 지어지는 이곳에서 보고타와는 또 다른 의미로 느슨하게 지낼 수 있을 것만 같다.

호스텔로 돌아와 방에 들어가기 전 부엌이나 구경해 볼까 싶어

옥상으로 올라갔다. 이곳은 특이하게도 방 반대쪽 계단을 타고 4층 옥상에 올라가야 부엌이 있다. 살이 쪘으니 운동 삼아 많이 움직이는 것도 나쁘진 않겠다 싶었지만, 부엌을 가기 위해 다시 빙 둘러 꼭대기까지 올라가야 한다는 게 꽤나 번거롭다.

부엌 입구에 들어서자마자 한눈에 딱 봐도 한국인인 아저씨가 계셨다. 아저씨는 나를 보자마자 한국어로 "어디서 오셨어요?"라고 물어보셨다. 아저씨 역시 나를 단박에 한국인으로 알아보셨다. 아저씨는 호스텔 주인과 친구이고, 집수리가 끝날 때까지 이곳에서 지내는 중이라고 했다.

현지인인 아저씨는 유용한 정보를 많이 알려주셨다. 밤에는 보일러가 잘 작동하지 않으니 샤워는 낮에 해야 하며, 천사상이 있는 곳은 위험하니 가지 않는 게 좋고 차라리 멀리서 보는 게 보기에도 좋더라, 옥상에서 투우 경기장이 잘 보이니 한 번쯤 구경해 봐도 좋다, 진짜 적도선은 적도 박물관이 아닌 바로 옆 인디오 박물관에 있다 등. 그리고 내가 먹는 것이 부실해 보인다며 우유, 식빵, 계란, 딸기잼, 김과 같은 먹을 것들을 아낌없이 주셨다.

다음날 아저씨의 말이 문득 생각이나 투우 경기 시간에 맞춰 옥상에 올라갔다. 오후의 햇살 아래 바람도 선선하고 아저씨 말씀대로 투우 경기장이 아주 잘 보여 날을 잘 잡았다 싶었다. 작은 투우 경기장이었지만 꽤 많은 관객이 자리를 차지하고 있다. 이미 경기는 한창 진행 중이었다.

경기를 쭉 지켜보는데 뭔가 기분이 이상해졌다. '어라? 이게 맞나?' 하며 갸우뚱하기까지 했다. 내가 상상했던 투우와는 너무나도 달랐다. 멀리서 보는 터라 긴장감이 안 느껴져 그런가 싶었지만 분명 그것 때문만은 아니었다. 성난 황소의 모습은 온데간데없고 볼품없는 작은 소가 투우사의 붉은 깃발 앞에 서 있다. 딱 붙는 회색 슈트를 입은 체격이 좋은 투우사가 소에게 손짓하며 유인하자 머뭇거리던 소는 어떤 결심을 한 듯 깃발로 돌진했다. 투우사는 그런 소를 비웃듯 휙 하고 깃발을 넘기곤 각 잡힌 포즈를 취해 보였다. 그 모습이 멋져 보이기보다는 왠지 비겁하게 느껴진다. 소는 공격력이 전혀 없지만 다만 이 고단한 쇼를 끝내기 위해 훈련된 대로 움직이는 것만 같다. 차마 더 지켜보지 못하고 서둘러 방으로 내려갔다. 앞으로 다시는 투우 경기를 보지 않을 것 같다.

3

어느 무료한 저녁 방안에서 뒹굴뒹굴 시간을 보내고 있는데 바깥에서 북적거리는 소리가 들렸다. 문을 열고 아래층을 내려다보니 스무 명 정도의 아프리카계 흑인들로 복도가 가득 메워졌다. 너무나도 낯선 광경에 어리둥절해하는 나를 발견한 아저씨가 어느새 옆으로 와서 아이티에서 온 사람들이라며 살짝 귀띔해 주었다.

"나라가 안 좋아지니 여기저기 떠도는 거야. 아마 브라질로 넘어가 일자리를 구할 것 같아."

그들은 마치 서로 처음 본 사이처럼 대화를 나누지 않고, 무표정이었다. 희미한 전등 불빛으로 어두운 복도가 더욱 우중충해 보인다. 그 긴장된 분위기로 인해 나도 모르게 잔뜩 위축되어버려 방으로 후다닥 들어갔다. 얼마 안 지나 슬쩍 방문을 열어 보니 그 많던 사람들이 순식간에 방 안으로 들어갔는지 복도는 텅 비어있다. 어떤 인기척도 들리지 않는다. 방 안으로 다시 돌아가면서 생각했다.

'사람은 누구나 원하든 원치 않든 떠돌아야 할 때가 있구나'라고….

4

호스텔은 어디든 쉽게 갈 수 있는 큰 길가에 세워져 있다. 보통 길가에 있는 숙소는 이동은 편리하나 주변의 소음을 그대로 흡수한다는 단점이 있는데, 이곳은 그런 일로 고생한 적이 단 한 번도 없었다. 호스텔 안은 언제나 고요하고 평화로웠다.

어제 이후로 아이티에서 온 그 많던 사람들은 찾아볼 수 없다. 다들 방 안에서 나오지 않는 건지 아니면 하룻밤만 묵고 진작 다른 곳으로 떠난 건지 모르겠다. 굳이 그들의 소식을 묻지 않은 것은 단순한 호기심으로 그치는 질문인 걸 알기 때문이다. 아저씨의 말씀대로 종착지가 브라질이라면 가는 길이 꽤 고단할 텐데.

방에는 와이파이가 잘 잡히지 않아 1층 소파까지 내려가 인터넷을 할 수밖에 없었는데, 어쩌다 아침에 창문을 활짝 열고 침대 끝에 앉으니 와이파이가 잘 잡힌다는 사실을 알게 되었다. BBC 사이트에서 무료로 제공하는 스페인어 수업 영상을 봐야 해서 와이파이가 꼭 필요하다. 영상이 거의 끝나가고 있을 즈음 누군가가 부르는 소리에 고개를 들어보니 반대쪽 창문에서 아저씨가 활짝 웃고 있었다. 아저씨는 그 방이 내 방이었냐며 재미있어하셨다.

"커피 타 줄 테니 부엌으로 올라와!"

아저씨는 커피뿐만 아니라 미국 라면과 과자까지 가득 얹어 주셨다. 여행할 때는 늘 챙김을 받는 포지션일 수밖에 없는데, 처음에는 머뭇거리기도 했으나 점점 뻔뻔해져 사양하지 않고 감사히 덥석 잘 받게 되었다.

아저씨는 출근하시고, 나는 오늘 드디어 바실리카 성당으로 간다. 옥상에 갈 때마다 저 멀리서 빼꼼 보이는 성당이 계속 눈에 밟혔지만, 이상하게도 미적거리게 되었다. '왜 여태 안 오고 있어?'라며 재촉하는 것처럼 느껴져 이제는 정말 가봐야 할 것 같다.

호스텔에서 큰길을 건너 조금만 올라가니 어마어마하게 큰 바실리카 성당이 보인다. 이렇게 가까운데 왜 여태 미뤘는지 모르겠다. 역시 교회나 성당은 크게 구미가 당기지 않는가 보다.

바실리카 성당의 특징적인 점은 쌍둥이처럼 똑같이 높게 솟은 두 개의 시계탑이다. 목이 꺾일 듯 고개를 들어야 시계탑 위 십자가를 겨우 발견할 수 있다. 성당에 들어갈 때 1달러, 전망대에 갈 때는 2달러를 내야 하는 데 참고로 에콰도르는 미국 달러를 사용해서 따로 환전하지 않아도 되기에 무척 편하다.

성당 내부에 들어서자 엄청나게 높은 천장에 압도되었다. 층이 나뉜 줄 알았는데 건물 전체가 한 층이었던 거다. 견고하게 조각된 돌기둥과 금빛 액자 안에 고이 담긴 신비한 그림들이 벽면을 좌르르 장식했다. 천장의 모든 면에는 스테인드글라스로 된 창문이 빙 둘리어 있어 형형색색의 빛이 환하게 들어왔다. 스테인드글라스는 촌스럽다는 인식을 가지고 있었는데 이곳의 창문은 성당을 더욱 경건하고 아름답게 만들어 주는 듯했다.

기다란 복도 끝에는 생화로 정성스럽게 장식해 둔 제단이 놓여 있고, 맞은편 벽 한가운데는 붉은 심장 위에 십자가가 꽂혀 있는 특이한 모양의 십자가가 걸려있다. 예배용 의자가 복도 양옆에 길게 줄지어 있었는데 그 옆의 기둥에는 각자 주요한 임무를 하는 듯한 전신 인물 조각상들이 띄엄띄엄 서 있다. 주중 낮 시간대라 성당 안에는 흰머리가 희끗희끗한 할아버지 한 분만이 미동 없이 앉아 기도하고 계신다.

그 기도를 방해하고 싶지 않아 아주 천천히 제단 앞까지 걸어가 두 번째 줄 의자에 앉았다. 그리고 너무나도 자연스럽게 두 손을 모았다. 평소의 나라면 절대 하지 않았을 법한 부자연스러운 행동이다. 문득 이곳에서 기도하지 않는다면 후회할 것 같다는 생각이 들었던 것 같다. 그저 소원을 이뤄달라 떼쓰는 아이 같은 마음으로 기도해도 될까 싶지만 내 마음에서 일어나는 것들에 대해 어떤 방식으로든 진실하게 표현하고 싶었다. 여기는 성당이니까 기도를 하는 것뿐인지도 모른다.

기도가 끝나고 전망대에 가기 위해 계단을 올라가니 이곳저곳 공사의 흔적이 눈에 보인다. 아슬아슬한 다리를 건너서 다시 철제 계단으로 쭉 올라가서야 전망대의 작은 공간에 도달했다. 맞은편에 쌍둥이 시계탑이 보이고 발아래에는 구시가지가 한눈에 펼쳐져 있다.

전망대에는 교복을 입은 여학생 두 명만 있어 방해 없이 천천히 구경할 수 있었다. 빽빽한 주택가 속 건물들의 다양한 구조라

던가, 좁은 길 사이사이 저마다 갈 길을 가는 자동차와 사람들, 무심하게 흐르는 구름 조각과 같은 것 말이다. 가만히 머무는 것도, 흘러가는 것도 모두가 아름다운 이 순간.

지금 성당으로 가면
어떤 기도를 하게 될까?

5

형형색색의 유리 조각을 통과해 쏟아 내리는 빛 아래에 아주 작은 내가 있었다. 그때 내가 한 기도의 내용은 잘 기억나질 않는다. 하나는 가족을 위해 또 다른 하나는 나의 여행이 끝나고 돌아갈 자리를 위해 빌었다고 어렴풋이 떠올릴 뿐이다. 그저 두 손을 모으고 기도문을 작은 소리로 읊조렸던 한 장면만이 마음속 깊이 뿌리내려져 있다.

하지만 정작 기도하지 못했던 것들이 있다. 갈 곳을 잃고 떠도는 사람들, 투우의 오락거리로 전락한 가여운 생명, 여행자에게 기꺼이 친절을 베풀어 주었던 아저씨의 앞날에 축복이 있길 빌 수도 있었을 텐데.

어떤 기도는 미처 해야 할 타이밍을 놓쳐버리고야 만다. 다른 것들을 생각할 여유가 없어서 일 수도, 그저 이기적일 뿐인지도 모르겠다. 물론 내가 기도한다고 해서 모든 것이 이루어지는 건 아니었겠지만 아쉬운 마음은 어쩔 수 없다.

지금의 나는 그때 내가 바랐던 것처럼 돌아갈 자리가 있는 사람으로 안정적으로 살아간다. 안정적인 직장이 있고 자주 만나지는 못하지만, 마음만 먹으면 언제든 볼 수 있는 가족이 있다. 그 당시 바랐던 모습보다 어쩌면 더 잘 지내고 있다고 인정할 수밖에 없다.

하지만 종종 여전히 그때와 다를 바 없이 떠돌고 있는 듯한 기분이 들곤 한다. 내 기도는 반만 이루어진 것 같지만 그게 썩 나쁘지 않다. 떠돌이가 어울리는 나의 한 조각이 사라지지 않았다는 게 오히려 안심된다.

떠도는 모든 것을 위해
기도합니다…

침보테 터미널 속 따스한 슈퍼마켓

1

여행에서 가장 힘들었던 건 정들었던 장소와 사람들을 떠나 홀로 기나긴 시간 동안 버스에서 보내는 시간이었다. 남미에서는 이동 시간이 10시간 이내라면 그리 나쁘지 않다고 생각할 정도로 땅덩이가 어마어마하게 크다. 믿기 힘들겠지만, 보고타에서 키토까지는 무려 34시간 동안 버스로 이동해야 했다.

버스 안은 통제가 불가능할 정도로 엉망진창이었다. 큰 소리로 음악을 틀고 시끄럽게 음주가무를 즐기는 사람들 사이에서 귀를 틀어막는 것 외에는 할 수 있는 게 없다. 페루에서 온 옆자리의 레바호는 "저렇게 시끄러운 사람들은 다 콜롬비아 사람들이야."라고 말하고는 눈을 질근 감았다.

그런 것과는 별개로 홀로 기나긴 버스를 타는 건 돌덩이 같은 막막함과 외로움을 가슴에 얹는 심정이다. 나를 기다리는 게 무엇인지도 모르는 채로 그저 버스에 몸을 맡기다 보면 불쑥불쑥 두려움이 엄습해 온다. 그러나 이 여행에서 멈추는 선택지는 없다. 그 순간 여행은 끝이 나버리기에 그저 앞으로 묵묵히 나아갈 수밖에. 차가운 유리에 이마를 대며 흔들리는 마음을 다잡고자 했지만, 쉬이 잡히질 않는다. 몸과 마음 모두 늘 긴장 태세이다.

특히 밤 버스는 더욱더 최악이다. 얕은 잠을 자다가 번뜩 눈을 뜨면 웃으며 인사를 했던 옆 사람은 어디론가 사라지고 낯선 이가 코를 골며 잠을 자는 것이다. 그럴 때면 눈물이 날 것만 같았다. 그 사람이 짙은 수염이 잔뜩 난 남자라면 더욱 이곳이 낯설고 무섭게만 느껴졌다.

2

열흘간의 벨몬트 호스텔 생활을 마무리하고 떠나는 날이다. 오랫동안 한곳에 머무르면 너무 지겨워서 얼른 떠나고 싶다가도 막상 당일이 되면 '좀 더 있어도 되지 않을까?' 하는 나약한 마음이 생긴다. 그럴 땐 미련 없이 버스표를 끊고 휘리릭 떠나야 한다.

전날 중학생 아들과 함께 오신 한국인 여성분이 베네수엘라는 지금 화장지, 분유, 비누와 같은 생필품이 부족하여 폭동이 일어나기 직전이라는 소식을 전해주셨다. 만약 브라질에서 아르헨티나 방향인 대륙 아래로 도는 루트를 선택했더라면 베네수엘라에는 발도 대지 못했을 것이다. 순식간에 이렇게 상황이 바뀔 줄이야.

다음 목적지인 페루 쿠스코로 가기 위해서는 침보테에서 버스를 갈아타야 한다. 터미널에서 버스를 기다리고 있는데 저쪽 한구석에서 덩치가 크고 조금 험악해 보이는 인상의 아저씨와 계속 눈이 마주친다. 만약 그가 조그마한 여자아이를 안고 있지 않았더라면 크게 오해할 뻔했다. 그래도 무서운 건 어쩔 수 없기에 멀찍이 떨어져 버스를 기다렸다.

키토에서 출발한 버스는 에콰도르와 페루의 국경에 있는 출입국 사무소에서 잠깐 멈췄다. 이곳에서는 출국 도장과 입국 도장을 한 번에 받을 수 있어 무척이나 편리하다. 간단히 입국 절차를 마치고 버스에 올라탔다. 다시 한참을 달리던 버스는 어느새 점심시간이 되어 작은 레스토랑 앞에 멈춰 섰다.

페루의 첫 정거장 망코라에 발을 내딛는 순간 익숙한 내음이 난다 싶더니 저 멀리 바다가 보였다. 고요한 바다가 나를 반기듯 햇빛에 반사되어 예쁘게 반짝거린다. 그 위에는 작은 배가 여러 척 띄어져 있고, 아기자기한 집들이 군데군데 있는 걸 보니 어촌마을이 있나 보다. 바다 위를 빙빙 돌며 날아다니는 새들은 갈매기처럼 보이는데 특이하게도 검은색이다. 어쩌면 갈매기가 아닐 수도 있겠다.

버스 기사님께 침보테에는 언제 도착하는지 물어봤지만, 무척 당황하시며 무슨 말인지 모르겠다는 제스처를 보내셨다. 그때, 키토 터미널에서 본 아저씨가 다가와 버스 기사님과 몇 마디 주고받고는 "새벽 4시에 도착한대요. 그리고 침보테에서는 리니아나 모비스터라는 버스회사를 이용하면 좋다고 하네요."라며 내가 미처 물어보지 못한 정보까지 알아내어 친절히 알려주셨다.

이를 시작으로 아저씨와 대화를 나눌 수 있었는데 그는 페루 사람이지만 지금은 미국에서 살고 있고 오랜만에 딸과 함께 고향에 간다고 했다. 아저씨는 나에게 페루의 명물인 세비체와 잉카 콜라를 맛볼 수 있도록 나눠주셨다. 한 번쯤 먹고 보고 싶었던 잉카 콜라는 환타 파인애플 맛으로 꽤 먹을만했고 세비체는 회 위에 레몬 소스를 뿌린 아주 상큼한 맛이다. 맛이 괜찮냐며 친절한 미소를 지으며 물어보는 아저씨를 보며 터미널에서 오해했던 게 무척이나 죄송해졌다.

점심 식사를 마치고 쉬는 타임에 버스를 함께 탄 콜롬비아 청년들과 버스 기사 아저씨가 나에게 사진을 요청했다. 그리고 페루 아저씨도 자신의 딸 카리나와 사진을 찍어줄 수 있냐고 물어봤다. 이제는 이런 요청에 익숙해져 흔쾌히 응했고 나 역시 카메라로 귀여운 카리나와 사진을 남겼다

카리나는 3살이고 아저씨와 얼굴이 판박이인데 아이러니하게도 무척 귀엽다. 수줍음이 많아 내가 말을 걸면 몸을 배배 꼬며 아저씨에게 찰싹 붙는다. 아, 이번에도 남미 사람들이 도대체 왜 나와 사진을 찍으려 하는 건지 물어보지 못했다.

버스 안이 추워서 깊이 잠이 들지 못하고 이상한 꿈을 잔뜩 꿨다. 꿈 내용은 기억이 안 나지만 너무나도 이상해서 얼른 깨고 싶은 꿈이었다. 버스에서는 도저히 깊이 잠들 수 없다. 기사님이 몸을 흔들어 겨우 눈을 뜰 수 있었는데 어느새 침보테 터미널에 도착해 있었다. 이곳에서 내리는 사람은 나밖에 없는지 모두가 곤히 잠들어 있다. 하지만 저 뒤편에 앉은 페루 아저씨만이 동그랗게 눈을 뜨고 계셨다. 아저씨와 인사를 하고 떠날 수 있어서 다행이다.

"Chao(차우, 안녕히 계세요)."

아저씨를 향해 손을 흔들었다.

"Good luck."
아저씨는 활짝 미소 지으며 엄지를 들어주셨다.

3

시간은 새벽 네 시 반을 향하고 있다.

해가 뜨지 않은 차가운 새벽, 낯선 도시에 도착하는 건 도무지 익숙해지질 않는다. 길을 잃은 아이가 된 기분이다. 하지만 어린아이가 아니니 주저앉아 울 수도 없고 또 누가 떠밀어서 이곳에 온 것도 아니니 더욱이 나오려는 눈물을 삼켜야 한다.

남미 사람들은 담력이 큰지 버스가 새벽 한가운데 도착하는 시간표가 많다. 아니, 어쩌면 이들은 금방 돌아갈 집이 있어서 상관없을지 모르겠지만 그로 인해 나와 같은 여행자는 참으로 난감해진다.

여행에서는 (당연하지만) 항상 낯선 곳에 도착한다. 거리도, 공기도, 마주친 얼굴에서도 느껴지는 낯섦은 설렘보다 경계심을 불러일으킨다. 다행히 시간이 어느 정도 지나면 이곳이 익숙해지고 그리 무시무시한 곳이 아니라는 걸 알게 된다. 무심코 지나칠 법한 한 장면에서 나만의 의미를 부여하게 되는 순간, 그 어떤 일상보다 빠르게 정이 들어버린다. 하지만 그것도 잠시, 얼마 지나지 않아 새로운 낯선 곳으로 떠나야 할 때가 온다. 여행자의 숙명이랄까? 한곳에 머무는 건 선택지에 없다. 그대로 머무르다간 여행은 막이 내리니까. 늘 낯선 곳과 마주한다는 건 매력적이지만 두려운 일이기도 하다.

등에 멘 커다란 배낭은 방금 내렸던 크루즈 델 수르(cruz del sur) 버스 사무실에 맡기고, 앞으로 멘 작은 가방을 등에 고쳐 맸다. 터미널에 사람이 없어 조금 당황했으나 더 안쪽으로 깊숙이 들어서니 몇몇 사람들이 동그랗게 말려져 잠을 자는 걸 발견했다. 살짝 안심은 되었지만 저렇게 자다간 꽁꽁 얼어 그대로 굳어버리지 않을까 걱정이 될 정도로 터미널 안은 엄청나게 춥다. 엎친 데 덮친 격으로 어제 점심 이후론 아무것도 먹은 게 없어 상당히 굶주린 상태이다.

그 순간 어두운 통로 속 저 끝에서 따스한 노란 불빛이 새어 나왔다. 조심스레 다가가 보니 작은 매점에서 나온 불빛이었다. 유리 뒤편 가판대에 반들반들 맛있어 보이는 빵들이 진열되어 있고, 사람들이 이야기를 나누는 정겨운 소리가 문틈 사이로 새어 나왔다.

홀린 듯 문을 여니 한눈에도 미인인 아름다운 주인아주머니와 손님으로 온 가죽 재킷의 아저씨 그리고 부드러운 인상의 아주머니가 계셨다. 그들은 동시에 내 쪽을 바라보았다. 눈이 마주치자마자 이들은 오래전부터 나를 기다려 온 사람처럼 환한 미소를 보이며 반갑게 맞이해주셨다. 노란 불빛이 내게도 따뜻하게 쬐어지는 듯했다. 여자 손님은 나를 꼭 껴안기까지 했다. 이런 환대는 처음이라 차렷 자세로 어정쩡하게 굳어 버렸지만, 어느새 얼었던 몸이 스르르 녹아내렸다.

아저씨가 명함을 주셨는데 스페인어라 무슨 뜻인지 잘 알지 못하겠지만, 작게 그려진 그림을 보니 의류와 관련된 일을 하시는 거라 짐작된다. 나중에 주인아주머니께 옷을 몇 벌 보여주시는 걸 보곤 확신할 수 있었다. 여자 손님은 음악 선생님이신데 그녀는 나의 어떤 점이 마음에 들었는지 모르겠지만 계속 나를 안으며 애정 어린 눈길을 마구마구 보내주셨다.

여행할 때는 풍선처럼 이리저리 붕- 떠다니는 기분이다. 하하 호호 웃으며 사람들과 이야기를 나누더라도 마음속 깊숙한 곳에서는 이곳을 언젠간 떠날 수밖에 없고, 이들도 연기처럼 사라져 없어진다는 걸 알고 있다. 하지만 이렇게 절대 놓치지 않겠다는 듯이 나를 꼭 껴안아 주는 누군가가 있으니 너무나도 따뜻하고 안전한 느낌으로 안착하게 된다.

달칵- 문이 열리는 소리가 들리더니 주인아주머니와 똑같이 생긴 귀여운 남자아이가 나왔다. 방금까지 자다 온 기색 없이 눈이 똘망똘망하다. 아이는 이런 상황이 익숙한 듯 우리에게 다가와 한 명씩 차례로 악수를 청했다. '이 의젓한 아이의 손에 얼마나 많은 여행자가 거쳐 갔을까?'라는 생각이 들자 미소가 지어졌다. 그러니 이렇게 낯선 이에게 스스럼없이 다가올 수 있겠지.

아이의 이름은 요페이, 12살이다. 이야기를 나누며 부쩍 가까워진 요페이는 나에 대해 이것저것 물어보고, 슈퍼마켓 이곳저곳을 들추며 군것질거리를 챙겨주었다. 주인아주머니의 눈치가 보여 슬쩍 바라보니 오히려 더욱 활짝 웃고 계셨다. 요페이는 도마뱀 모양 장난감, 색칠 공부 책, 색연필 세트 그리고 동전통을 뒤적거리더니 뭔가 특별한 동전을 찾아 자신의 이름을 새겨 주었다. 마치 부적을 받은 것처럼 든든하다.

요페이와 음악 선생님께 한국에서 산 책갈피를 주었다. 그녀는 크게 감동하는 표정을 짓더니 가방을 뒤져 작은 향수 샘플을 답례로 주셨다. 요페이에게는 내가 가지고 있던 영문판 어린 왕자 책도 함께 주며 이다음에 커서 한국으로 놀러 오라고 했다.

사람들 속에서 웃고 떠들다 보니 어느새 아침 해가 밝아와 있었고 와라즈로 가는 버스가 대기 중이었다. 요페이는 앞장서서 버스 안에 폴짝 들어가더니 버스표를 보며 요리조리 좌석 번호를 확인하고는 자리를 찾아주었다. 그리고 내리기 전 요페이가 가게에서 알려준 (손바닥을 서로 위아래로 치고 주먹을 치는) 특이한 악수로 작별 인사를 했다. 그대로 헤어지나 싶었는데 다시 돌아와서는 음료수와 (어떻게 알았는지) 내가 먹고 싶었던 바나나 과자를 손에 쥐여 주고 버스에서 후다닥 내렸다.

버스가 출발하고 창밖을 내다보니 아직 가게로 돌아가지 않은 요페이가 멀리서 손을 흔들고 있었다. 마음이 몽글몽글해지는 순간. 두 손에 가득 찬 마음을 또 언제 되돌려 줄 수 있을까?

해변마을 망코라에서 잉카 콜라!

두 손 가득~ 마음 가득~

믿음 없이 이 세상을 살 수 있을까?

뽀얀 창을 통해 침보테 터미널의 작은 슈퍼마켓 속 앳된 내 모습이 보인다. 내 곁에서 주인아주머니와 손님 두 분이 애정 어린 시선으로 나를 바라보고 있다. 스페인어와 영어가 섞여 엉망진창인 말을 찡그리는 표정 없이, 오히려 싱긋 미소를 띠며 귀 기울여 준다.

"아침에 와라즈행 버스를 타야 하는데 이렇게 어두운 새벽에 덜컥 도착해 버렸어요. 이곳이 있어서 정말 다행이에요. 웃으며 맞이해 줘서 정말 감사해요."

정확히 전달될 리 만무하지만 모두 이해한다는 듯이 고개를 끄덕여 주는 장면이 꿈결처럼 느껴진다.

슈퍼의 문을 열고 두 발을 들여놓았을 때 단번에 확신이 들었다. '나는 밤새 이곳에 머물게 될 거야!'라고. 만약 아주 조금이라도 그들이 불편하거나, 더 나아가 위험하다는 생각이 들었다면 그대로 문을 닫고 나와 차가운 터미널 의자에서 날이 밝기를 기다렸을 거다.

하지만 이들은 창을 통해 새어 나온 노란 불빛보다 훨씬 더 따뜻한 사람들이었고 무엇보다 이방인인 나를 온몸으로 환대해 주었다. 어디로 날아갈세라 꼬옥 껴안아 주었다. 그 덕에 아침 해가 떠오를 때까지 슈퍼 안에서 안전히 시간을 보낼 수 있었다. 그런 그들을 보면서 나 역시 누군가가 문을 열고 들어왔을 때 환하게 반겨주는 사람이 되고 싶다고 생각했던 것 같다.

낯선 여행지에서는 난생처음 보는 사람과 함께 이야기하고, 밥을 먹고, 그들을 따라 움직이고, 같은 방에서 쿨쿨 잠을 잔다. 어떻게 그럴 수 있었을까? 누군가 슬그머니 일어나서 곤히 자는 내 목을 조를 수도 있다고 생각할 수 있지 않았을까?

낮에 쌓인 고단한 마음을 내려두고 깊은 밤 여느 때보다 더 포근히 잠들 수 있었던 건 '믿음'이 있기 때문이었다. 이들이 나를 해치지 않을 거라는 믿음, 오히려 나를 지켜줄 거라는 믿음, 함께 이 외로운 시간을 버텨줄 거라는 믿음 말이다.

그런 믿음의 순간들이 하나둘씩 모여 새로운 동료를 찾는 것을 두려워하지 않았고, 챙김을 받는 것도, 먼저 다가가는 것도 어려워하지 않을 수 있었다. 무거운 배낭과 묵직한 긴장감을 풀어놓고 이들과 한가로운 시간을 함께 즐겼다. 여행은 나에게 '믿음'이라는 것을 그 무엇보다 따스한 방법으로 가르쳐주었다.

모든 게 어렵다 느껴질 때 여행의 순간을 떠올려 본다. 그러면 모든 게 간결해진다.

결국 우리는 믿음 없이 이 세상을 살 수 없다.

안데스산맥 속 코카잎차 한 잔

1

페루 와라즈에 온 여행객은 반드시 이 두 곳을 거쳐 간다.

그곳은 바로 사파이어 원석이 녹은 듯한 69 호수와 안데스의 선물이라 불리는 산타크루즈산이다. 사실 와라즈 자체로만 보자면 사막 한가운데 있는 듯한 휑한 마을로 머무르고 싶다는 생각이 쉽사리 들지 않는다. 하지만 와라즈가 품은 69 호수와 산타크루즈는 무척 매력적이며, 무엇보다 트레킹을 할 수 있다는 장점까지 가지고 있다.

베네수엘라의 로라이마 트레킹 이후 트레킹의 매력에 푹 빠졌다. 앞으로 트레킹을 할 수 있는 곳이 있다면 단 하나도 빼먹지 않겠다며 큰마음을 먹고 에콰도르에서 노스페이스 트레킹화를 구입했다. 로라이마에서는 5박 6일의 대장정을 러닝화로 겨우 버텼지만, 앞으로 내가 오를 산타크루즈, 토레스 델 파이네, 피츠로이는 모두 설산이기 때문에 동상에 걸려 고생하지 않으려면 트레킹화가 필수이다.

산타크루즈 트레킹은 2박 3일 또는 3박 4일로 진행되는 꽤 긴

코스이다. 69 호수는 비록 캠핑을 하진 않지만, 산꼭대기에 있어 왕복 6시간의 트레킹 코스로 이동해야 한다. 이틀 연달아 트레킹을 할지 하루 정도 텀을 둘지 잠깐 고민했으나 로라이마 트레킹을 떠올리며 "이쯤이야!" 하고 의기양양하게 연달아 트레킹을 신청했다.

2

침보테 터미널에서 6시간에 걸쳐 와라즈에 도착했다. 남미 여행 두 달 차가 넘어가니 6시간 '밖에' 안 걸린다고 긍정적으로 생각할 수 있는 내공이 생겼다. 이곳의 호스텔은 여행객이 많이 가는 69 호수와 산타크루즈 트레킹 가이드를 겸하여 따로 여행사를 찾아 나서는 수고를 덜 수 있다.

호스텔에 들어가니 매니저가 저 멀리서 나를 발견하고는 반갑게 인사했다. 그리고 정해진 코스인 듯 호스텔 사장이 있는 방으로 안내했다. 문을 열자 교실 크기의 커다란 방 끝에 책상 하나가 덩그러니 있다. 캐주얼한 복장의 30대 젊은 남자가 의자에서 일어나 밝은 미소로 악수를 청했다. 그는 능숙하게 책상 위에 지도를 펼쳐 보이며 투어 루트와 그에 따른 옵션에 대해 자세히 설명해 준다. 설명을 모두 마친 그에게 산타크루즈가 그 명성대로 멋진지 물어보자, 그는 잠시 멈칫했다.

"음… 요즘 산타크루즈 트레킹은 별로 좋지 않아요. 사람이 너무 많이 가기도 하고 그래서인지 이전보다 훨씬 더러워졌죠. 대신 낄까우안카라는 곳을 추천하고 싶어요. 2박 3일 코스인데 제가 가장 좋아하는 트레킹 중 하나이고, 사람도 별로 없어 아주 깨끗하답니다."

예상치 못한 그의 제안에 잠시 고민했으나 이내 곧 "흠… 그러면 그렇게 하죠."라고 답해버렸다.

이곳에 대해서는 그보다 아는 것이 별로 없기도 하고 (있어봤자 책이나 인터넷에서 얻은 정보일 뿐이다) 계획대로 하기보다는 흐름에 맡겨보자는 마인드가 있었기에 깊이 고민하지 않았다. 어쩌면 사기를 당하기 딱 좋은 타입인지도 모르지만, 어차피 트레킹만 하면 되는 거니까 굳이 산타크루즈를 고집할 이유는 없지 않은가.

"후회하지 않을 거예요!"

그는 나의 선택에 아주 만족스러운 미소 지었다. 그리고 곧이어 중요한 것이 생각났다는 듯한 표정으로 물었다.

"아! 혹시 트레킹을 한 적이 있나요?"

"6 days 트레킹을 해봤어요."

나는 씨익 미소를 지어 보였다.

"와우! 그럼 문제없겠네요. 하지만 이곳은 고산지대라 숨 쉬는 게 힘들 수 있어 조심해야 해요. 또 산 위는 몹시 추워서 반드시 따뜻하게 입고 가야 할 거예요."

로라이마에서는 긴 여정으로 지치긴 했으나 날씨가 지나치게 덥거나 추워서 힘들었던 적은 없었다. 반면 와라즈는 산 아랫마을도 무척 쌀쌀하기에 산 위에 오르면 몇 배는 더 추울 거라 예상된다. 하지만 탁 트인 골짜기와 설산을 바라보며 한 걸음 한 걸음 나아가는 트레킹은 너무나도 멋질 것이라 상상해 보니 그 역시 "이쯤이야, 견뎌야지!"라며 마음을 단단히 먹게 된다.

3

"안녕?"

소파에 앉아 69호수로 가는 차를 기다리는 중 누군가 말을 걸어왔다. 고개를 올려다보니 금발에 키가 큰 여자가 나를 내려다보고 있었다.

"너도 69 호수로 가?"

"응."

"그럼 같이 갈래?"

"좋아."

그녀의 이름은 하나. 캐나다에서 왔으며 올해 스물한 살이다. 하나는 나보다 어리지만, 배낭여행에서는 베테랑이다. 이제껏 혼자 여행하는 여자 중에 나보다 어린 사람은 없었기에 속으로 무척 놀랐다. 언뜻 보기에는 성숙해 보이지만 가만히 들여다보면 아직 앳된 얼굴이 많이 남아 있어 '혼자 여행하는 게 위험하지 않을까?'라는 걱정을 불러일으켰다. 이런 생각을 한다니! 사람들이 나를 신기하게 바라본 이유를 알 것 같기도 하다. 그녀가 스스럼없이 다가와 준 덕에 우리는 자연스럽게 함께 하는 짝이 되었다.

하나와 통성명을 한 지 얼마 되지 않아 커다란 지프차가 호스텔 앞에 도착했다. 다들 어디에 있었는지 열 명 정도의 무리가 한 차에 올라탔다. 대부분이 동료가 있어 만약 하나 없이 혼자 덩그러니 있었다면 민망했을 정도로 들뜬 분위기이다.

한쪽에 국적을 알 수 없는 젊은 남자가 홀로 굳은 표정으로 앉아 있어 '무슨 일이지?' 의문을 가지고 바라보았는데, 하나가 슬쩍 "여행을 해보니까 사람들이 보통 이스라엘 사람을 안 좋아하는 것 같아."라며 귀띔해 주었다. 그 이유는 시끄럽고 무례한 사람이 많다는 거였다. '저 사람은 그렇게 보이지 않는데….'라는 생각이 들었지만 나 역시 그에게 다가가지 않았다.

다들 원래 알던 사이인지 하나와 나처럼 처음 만난 사이인지 구별이 잘되지 않는다. 나 역시 하나와 딱 붙어 앉아 있으며, 이상하게도 조금 전에 알게 된 사람이라고는 느껴지지 않으니까. 어쩌면 여행지에서는 그런 구분이 무의미한지도 모른다. 혼자 남미까지 온 여행자라는 것만으로도 우리는 커다란 공통부분을 나누었다고 볼 수 있다.

남미에 온 사람들은 옆 동네 가듯 가벼운 마음으로 오지 않았을 것이다(대부분은). 그 무거운 발걸음 중 한 지점이 맞닿은 것만으로도 특별한 의미를 부여하기에 충분하다. 버스가 하루만 늦게 도착하거나 혹은 일찍 도착했더라면 만나지 못했을 사람이라는 것, 다른 호스텔에 묵었더라면, 만약 하나가 내가 아닌 다른 사람에게 말을 걸었더라면, 한국 사람은 시끄럽고 무례하다는 평이 있었더라면 등 경우의 수를 덧붙이자면 끝이 없지만, 지금에 와서 그런 건 무의미해진다. 우리는 지금 이렇게 만났고 같은 지점을 향해 함께 걸어가는 동료가 되었다.

안데스산맥은 지구상에서 가장 길게 뻗어있는 산맥으로 베네수엘라부터 콜롬비아, 에콰도르, 페루, 볼리비아, 아르헨티나, 칠레 7개국에 걸쳐 형성되어 있다. 그중 페루는 중앙 안데스에 속해 있는데 오늘은 69 호수를, 내일부터 3일간은 낄까우안카 트레킹을 하며 안데스산맥의 절경을 즐길 수 있다. 어쩌다 보니 낄카우안카까지 하나와 함께 하게 되었는데, 그녀 역시 호스텔 주인의 꾐에 넘어간 게 틀림없다.

하늘은 푸르르고 하얀 구름이 여유롭게 두둥실 떠다닌다. 트레킹을 하기에 제격인 날씨다. 한쪽에는 강이 졸졸 흐르며 말들이 심드렁한 표정으로 풀을 뜯어 먹는다. 그러한 여유로운 정경에 왠지 나도 서두르지 않고 천천히 나아가도 괜찮을 것만 같다.

하나와 나는 많은 이야기를 하지 않았지만, 함께 보폭을 맞추며 호수까지 올라갔다. 이따금 서로의 안부를 물어봐 주고, 뒤돌아 위치를 확인하면서. 나란히 걸을 때도 있고 멀찍이 떨어질 때도 있지만 시야에서 벗어날 정도의 거리를 두진 않았다.

그렇게 산책하듯 천천히 산을 오르니 어느새 설산 사이에 자리 잡은 69호수가 그 모습을 드러냈다.

호수는 사파이어를 녹여 차갑게 식힌 듯 푸른빛과 녹색 빛이 그러데이션으로 좌르르 펼쳐져 있다. 이곳에 몸을 푹 담그고 나오면 반짝반짝 빛날 것만 같이 아름답다. 금방이라도 호수 수면 위로 낯선 생물체가 큰 소리를 내며 튀어나올 것 같이 신비롭기도 하다. 아주 유순한 거대 생명체가 머릿속에 그려진다. 문득 오래전 호수 괴물이라고 해서 세상을 떠들썩하게 만든 가짜 뉴스가 생각났다. 하지만 이 호수에서는 정말 그런 생물체가 하나쯤은 살 수도 있을 것 같다는 생각이 든다. 그 생명체는 아주 조심스럽고 수줍음이 많아 사람의 눈에 띄지 않을 뿐이겠지.

여행이라고 해서 하루하루가 특별한 건 아니다. 특히 이런 장기 여행에서는 일상과의 경계가 모호해지니까. 하지만 이렇게 아름다운 남미의 자연경관을 바라볼 때면 여행은 무척이나 특별해지고, 그 속에 있는 나라는 존재 역시 더욱 특별하게 느껴진다. 끊임없이 멋진 순간을 두 눈에 담고 싶다.

4

낄카우안카 트레킹은 하루 휴식을 하고 다음 날 출발하는 일정으로 바뀌었다. 그 이유는 정확히 모르겠지만 (설명해 주었는데 까먹었을 수도…) 이곳에 더 있어도 상관이 없어 수긍했다. 뭐든 너무 쉽게 수긍하는 게 아닐까 싶었으나 어찌 되었든 간에 후지 여관 매니저 일을 시작하는 8월 1일까지 칼라파테에 도착하기만 하면 그만이니까. 그 기간 내에는 자유롭게 한곳에 오래 머물거나, 다시 왔던 길을 돌아가도 괜찮다(그럴 일은 없겠지만).

주인장이 내일 함께 낄까우안카 트레킹을 함께 할 가이드를 소개해 주겠다며 하나와 나를 불러 세웠다. 서글서글한 인상의 남자가 성큼 다가와 친근하게 인사했다. 그의 표정과 말투가 아주 믿음직스러워 보인다. 주인장과 묘하게 닮았다고 생각했는데 역시나 둘은 형제였다. 그는 자신이 가이드 겸 포터 역할을 하고, 그의 삼촌이 포터 겸 요리사의 역할을 할 거라고 했다. 알고 보니 이곳은 커다란 가족 사업장이다.

우리 말고 또 트레킹을 신청한 사람이 있냐고 묻자 69 호수 트레킹을 함께 했던 네덜란드 남자 둘밖에 없다고 했다. 총 네 사람으로 2박 3일 일정에 비해 아주 단출한 멤버로 구성되었다. 69 호수에 갔던 그 많은 사람은 어디로 갔을까? '다들 산타크루즈 트레킹에 간 거 아냐?'라는 생각이 들자 낄까우안카 트레킹이 주인장이 말한 것처럼 매력적인 곳이 아닐지도 모른다는 의심이 들었다.

네덜란드에서 온 두 청년 라니요와 구디는 나보다 한 살 어렸지만, 남성 평균 키가 180cm가 넘는 나라에서 온 만큼 키가 무척 컸다. 두 사람은 썩 좋지 않은 첫인상을 남겼는데, 그 이유는 69 호수 트레킹을 마치고 돌아오는 차 안에서 모두 지쳐서 기진맥진해 꾸벅꾸벅 졸고 있는데 두 사람만 신이 나서 시끄럽게 떠들어댔기 때문이다. 게다가 이들은 산을 오르내릴 때 가사를 알 수 없는 이상한 노래를 끊임없이 불러댔다. 앞으로의 여정이 걱정되지만 이미 정해진 멤버를 어쩌겠는가. 이 역시 받아들일 수밖에.

사람의 실루엣만 겨우 확인할 수 있는 어둑어둑한 새벽 6시. 호스텔 앞에서 트레킹 멤버가 모두 모였다. 지프차를 타고 황량한 마을을 나와 산 초입에 다다를 때쯤에서야 서서히 날이 밝아왔다. 그제야 서로의 얼굴을 제대로 확인할 수 있었고, 어느새 눈앞에는 거대한 안데스산맥이 놓여 있었다. 쌀쌀한 공기가 볼을 스쳐 정신이 번쩍 든다. 그제야 새로운 트레킹을 시작한다는 게 실감이 났다.

연둣빛 드넓은 초원길을 따라 걸어간다. 시야가 확 트인 초원 끝에는 머리가 새하얀 설산이 장엄하게 우리를 기다리고 있다. 얼룩소와 커다란 뿔을 가진 검은 소가 듬성듬성 거리를 유지하며 굼뜨게 움직이고 작은 시내가 부드러운 곡선으로 길게 늘어져 흘러가고 있었다. 이름을 알 수 없는 보라색 꽃밭이 바람에 흩날리는 걸 가만히 보고 있자니, 이 평화로운 광경을 두 눈에 담는다는 게 엄청난 행운이라고 느껴진다.

경사로에 진입하자 설산이 더욱 잘 보이기 시작한다. 고개를 쭉 내밀어 보니 저 먼 곳까지 굽이굽이 안데스산맥의 설산이 보인다. 저 너머에는 초록빛 호수가 고여있다. 서늘한 푸른 하늘에 대비되는 붉은 태양이 머리 위에 강렬한 빛을 내리쬔다. 평소라면 무척 거슬리고 짜증스러웠을 햇빛이 쌀쌀한 공기 덕에 오히려 기분 좋게 느껴진다. 하얀 설산이 햇빛에 반사되어 반짝반짝 아름답게 빛난다.

산을 오르면서 점차 숨이 가빠오기 시작했으나 고산병이 그리 심하지 않아서 다행이다. 고산병으로 제대로 숨을 쉬기 힘들어 산소통에 의지하거나 도중에 포기하는 사람도 더러 있다고 들었다.

쉬는 시간에는 고산병 예방을 위해 따뜻한 코카잎 차를 마셨다. 널리 알려져 있듯 코카잎에는 마약 성분이 있지만, 그래도 잎째로 먹는 건 심각한 중독 증세를 일으키지 않는다. 우리는 뜨거운 물에 우려먹는 것일 뿐이니 큰 문제는 없다. 그래도 코카잎이라고 해서 무척 기대했는데 보통의 차와 비슷한 심심한 맛이다.

따뜻한 차를 호호 불며 한 모금씩 마시니 몸이 스르르 녹는다. 차를 마시며 한가로이 주위를 둘러본다. 시야 안에 들어온 모든 것들이 조화롭고 완벽하다. 모든 게 느릿느릿 아주 천천히 움직인다. 순간 로라이마를 오를 때의 오만한 마음과 욕심이 너무나도 무용하게 느껴졌다. 그때의 나는 오로지 목적지에만 몰두하여 이를 악물며 고통을 감내했다. 어쩌면 그때는 그런 게 필요했는지도 모른다. 나를 밀어붙이고 싶은 마음이 참을 수 없이 밀려온 것이다.

하지만 지금은 나도 그저 이곳의 한 부분이 되어 천천히 나아가고 싶다는 생각이 든다. 여행 중반에 다다라서야 내 마음은 드디어 여유를 되찾았는지도 모른다.

이곳의 밤은 빛 한줄기 없이 어두컴컴하다. 그리고 온몸이 꽁꽁 얼 것 같이 춥다(그렇다고 해도 베네수엘라 버스보단 덜 추운…). 하나와 같은 텐트를 썼는데 우리 둘은 침낭에 쏙 들어가 너무 춥다는 말을 반복하며 진동벨처럼 덜덜 떨었다. 그녀가 아무 말이 없자 혹시나 잘못된 게 아닐까 하는 걱정이 될 정도였다. 물론 그녀는 먼저 잠이 들었을 뿐이었지만.

긴 밤이 지나고 아침에 일어나 텐트 위에 새하얀 서리가 두텁게 껴있는 걸 확인하고는 우리가 유난스러웠던 게 아님을 알 수 있었다.

곤카잎차 대신
코코아를 마시며
평화로웠던 그 장면을
회상해본다...

첫날부터 시작된 라니요와 구디의 노랫소리는 마지막 날까지 이어진다. 귀를 틀어막고 싶을 정도로 듣기 싫던 그들의 노래에 어느새가 중독되어 모두가 따라 부르게 되었다. 그건 그들과 이 멋진 안데스산맥에서 보낸 시간이 소중해졌기 때문일 것이다. 꽤 거슬리는 친구들이지만 리니요는 등산 스틱이 고정되지 않아 혼자 끙끙거릴 때 슬쩍 다가와 도와줬고, 구디는 맛있는 사탕을 나눠주었다. 누군가를 미워하는 것도, 좋아하게 되는 것도 참 단순한 것 같다.

드디어 평지에 발이 닿았다. 오르락내리락 굽이굽이 걸어가다 평평한 길을 걸으니 기분이 이상하다. 뒤돌아보니 거대한 계곡과 하얀 설산이 여전히 뜨거운 태양에 반사되어 멋진 모습을 뽐내고 있다. 더욱 돌아가는 발길이 아쉬워져 한동안 눈을 떼지 못했다. 트레킹은 무조건 고생스럽고 힘들어야 한다고만 생각했는데, 이렇게 여유롭게 끝마쳐도 뿌듯하고 기분 좋을 줄이야. 어쩐지 트레킹을 더욱 사랑하게 될 것 같다.

마음이 휘몰아칠 때면, 그래서 나를 매섭게 밀어붙일 때면 코카잎 차를 호호 불어 마시던 그때를 떠올려야지. 그러면 잠시 쉬어가는 나라도 괜찮아질 테니까.

결국 사라져 버리지만

1

"헛-!"

헤드뱅잉을 멈추고 정신을 차려보니 눈앞에 가지런히 간식이 놓여 있다. 신기하게도 간식이 나오면 비행기, 버스, 기차 할 것 없이 정신없이 자다가도 눈이 번쩍 뜨인다. 형제가 많은 집치고는 음식에 대한 집착이 없는 나지만 오래 여행하다 보니 먹는 것에 욕심이 생겼나 보다. 한곳에 머물지 못하고 떠돌아다니는 신세라 냉장고나 찬장에 쌓아둘 수 없기에 그날그날 먹을 것을 생각하고 적당히 비축해 두어야 한다. 이토록 후덥지근한 남미에서 보부상처럼 싸들고 다닐 수도 없는 노릇이다.

여기는 마추픽추로 향하는 잉카 레일 안. 창 쪽으로 고개를 돌리니 산골 마을 정겨운 풍경이 끊임없이 이어진다.

마추픽추는 길을 걷고 있는 누구라도 붙잡고 사진을 들이밀어도 알 수 있는 페루 대표 유적지이다. 구글 검색을 하면 곧바로 나오는 시그니처 사진을 보면 길쭉하게 솟은 크고 작은 세 개의 산봉

우리와 그 앞에 펼쳐진 돌무더기 마을이 마치 거대한 숟가락으로 한 스푼 크게 뜨여 공중에 둥둥 떠 있는 듯하다. 구름이 그 주위를 에워싸면 더욱 신비로운 공중도시가 된다. 남미까지 왔으니 스페인에 끝끝내 발견되지 않은 잉카제국의 비밀스러운 마지막 요새를 놓칠 수 없지.

마추픽추로 가는 루트는 다양하지만, 보통은 쿠스코에서 버스를 타고 오얀따이땀보의 성스러운 계곡을 거쳐야 한다. 이곳에서 잉카 레일로 갈아타 마추픽추와 인접한 마을인 아구아스 칼리엔테스에 도착해 하룻밤을 보낸 뒤, 이른 아침 버스를 타고 굽이굽이 산길에 올라서야 마침내 마추픽추를 만날 수 있다.

여행 중반을 훌쩍 지난 시기라 워낙 멋진 경관들을 많이 봐왔기에 성스러운 계곡 정도야 큰 감흥 없이 편하게 둘러볼 정도가 되었다. 하지만 가이드가 옆에 찰싹 붙어 이것저것을 설명해 주며 어떤 반응을 보일지 궁금해하는 눈치였기에 "great~", "fantastic!" 등 적당한 리액션을 보여줘야 했다. 이렇게 친절한 사람을 실망하게 하는 건 정말 어렵다.

적당히 둘러보고 나니 어느새 출발해야 할 시간이 되어 버스를 올라타려는데 가이드가 갑자기 한 커플을 불러 세우더니 "이 친구도 마추픽추에 간다는데 같이 가줄래?"라고 물었다. 누군가와 합류할 생각이 전혀 없었던 터라(그것도 커플과) 당황하여 허공에 손사래 치며 "노노노~!"라 외쳤지만, 커플은 흔쾌히 "Yes."라고 답했다.

가이드가 어떤 생각의 경로로 나를 커플에게 넘긴 줄은 모르겠지만 성스러운 계곡 투어를 할 때도 유독 내 옆에만 있었던 이유를 알 것 같다. 이래 봬도 혼자 두 달 넘게 배낭여행을 해 온 나인데…. 얼떨결에 눈치 없이 커플 사이에 끼게 되었다.

걱정과는 달리 커플은 나를 억지로 떠맡은 짐짝처럼 생각하지 않고 밝은 표정으로 기꺼이 맞이해 주었다. 브라질에서 온 두 사람은 방금 잡지에서 튀어나온 것처럼 길쭉하고 조각같이 생겨 위화감이 느껴졌다. 움베르도는 연한 갈색 머리에 다부진 몸을 가졌고, 카밀라는 금발에 모델처럼 아름다웠다.

움베르도는 자주 장난을 치며 밝은 분위기를 만들었고 그럴 때마다 카밀라는 감당 안 된다는 표정을 지어 보였다. 하지만 그녀는 늘 미소를 머금고 있었고, 아주 사랑스럽다는 눈빛으로 그를 바라보았다. 그런 커플 사이에 있으면 무척 어색할 거라 생각했는데, 예상외로 전혀 불편함을 느끼지 않았다. 이는 두 사람이 나를 불청객으로 여기지 않은 덕분이다.

잉카 레일이 역으로 도착하여 우리는 함께 기차에 올라탔다. 표를 보니 좌석이 멀리 떨어져 있어 이들과의 인연은 여기서 끝이라 생각하고 작별 인사를 해야겠다고 생각하는 순간, 움베르도가 도착하면 서로 기다려 주자고 했다. 얼떨결에 "OK."라고 답했다.

아구아스 칼리엔테스까지 가기 위해서는 잉카 레일로 3시간 반을 달려야 한다. 웬만해선 쪽잠을 자지 않는 나라도 여행에서는 쉽게 방전되는지 엉덩이를 붙이기만 해도 꾸벅꾸벅 잘도 잔다. 여러 번 졸다가 깨는 걸 반복하다 보니 어느새 바깥은 어둑어둑해져 있었다. 마을에 도착하자마자 밤거리를 헤치며 호스텔과 마추픽추행 버스표를 구해야 한다는 것에 벌써 피로감이 느껴진다. 여행에서는 먹는 것은 물론 몸을 뉘어 잘 곳도 매번 스스로 알아서 해결

마치 이런 느낌~?!
하핫...

해야 한다. 달팽이처럼 집을 이고 다닐 수 있다면 얼마나 좋을까.

잉카 레일에서 내리자 약속한 대로 움베르도와 카밀라는 나를 기다리고 있었다. 두 사람 모두 키가 커서 어둠 속에서도 쉽게 눈에 띈다. 이들은 나에게 호스텔을 따로 구하지 않았으면 자신들이 예약한 곳으로 가자고 제안했다. 나는 흔쾌히 고개를 끄덕였다.

마을 안쪽으로 들어가자 잉카 레일뿐 아니라 다른 루트로 온 많은 여행객이 쏟아져 나와 발 디딜 틈 없이 빼곡히 가득 찼다. 맞은편에는 대치하듯 호스텔 주인들이 호스텔 명과 예약자 이름이 적힌 표지판을 하늘 높이 번쩍 들고 있다. 너무나도 많은 인파가 몰려 금방 찾기는 힘들 거라 생각하며 군중들 속에서 고개를 겨우 빼고 두리번거리는데 옴베르도와 카밀라의 이름이 적힌 표지판이 저어기 멀리서 보였다. 두 사람에게 알려주니 그들의 얼굴에 피곤한 기색이 싹 가시고 대신 환한 미소가 그 자리를 차지했다. 그걸 보니 왠지 큰 미션을 완수한 듯 뿌듯해졌다. 우리는 호스텔 주인의 도움을 받아 쉽게 버스표를 구한 뒤 숙소로 들어갔다. 함께 하니 일이 일사천리로 착착 진행된다.

이들이 선택한 호스텔은 싱글룸 50볼로 쿠스코의 두 배가 넘었다. 역시 세계 어딜 가나 관광지는 바가지가 심하다. 더 저렴한 곳을 찾아봐야 하나 잠깐 고민했으나 어딜 가나 비슷할 것 같고, 무엇보다 두 사람이 마음에 들기도 해서 그냥 이곳에 머무르기로 했다. 옴베르도가 짐을 두고 주변을 둘러볼 건데 같이 걸 거냐고 물었다. 나는 또다시 “OK!” 해버렸다.

짐을 두고 립밤만 간단히 바른 뒤 숙소 아래로 내려가니 레스토랑에 동양인 아주머니, 아저씨 여러분이 계셨다. 익숙한 옷차림에 천천히 다가가 보니 한국어가 선명히 들려온다. 먼저 “안녕하세요.” 하고 인사를 건넸다. 어르신들은 일제히 고개를 돌려 나를 바라보시고는 무척 놀라워하셨다. 우연히 동네 꼬마 아이를 다시 만난 것처럼 반갑게 인사를 받아주셨다. 식사를 시켰으니 같이 먹자고 권해주셨으나 친구와 선약이 있다고 말씀드리며 정중히 거절했다. 오랜만에 한국사람을 만나니 어색하면서도 기분이 좋았다. 아무리 남미라도 유명한 관광지에서는 이렇게 한국인 무리를 쉽게 만날 수 있다.

광장으로 나가니 흥겨운 음악 소리가 흘러나오고 늦은 밤임에도 불구하고 거리에는 활기가 넘친다. 스피커가 어찌나 큰지 광장이 왕왕 울렸다. 레스토랑이 광장을 빙 둘러쌀 정도로 많았는데 하나같이 잉카 스타일로 알록달록 멋지게 꾸며져 있다.

우리는 바에서 페루 대표 칵테일 피스코 샤워를 마시며 스누케라는 당구 게임을 했다. 피스코 샤워는 상큼한 레몬 맛으로 흥을 돋우는데 제격이었다. 비록 게임에서 한 볼밖에 넣지 못했지만, 기분이 가라앉기보다는 오히려 신이 났다.

움베르도 역시 흥이 올랐는지 광장 한복판에서 삼바라며 웃긴 춤을 보여줬는데, 카밀라는 질색하며 “저건 삼바가 아니야!”라고 말했다. 시간 가는 줄 모르고 놀던 우리는 11시가 되어서야 겨우 숙소로 발길을 돌렸다. 내일 새벽 5시 버스로 마추픽추에 가는 게 아니었더라면 밤새워서 놀 기세였다.

숙소로 가자 여전히 레스토랑에 한국인 어르신들이 있으셨다. 어르신들도 마추픽추 아래에서의 밤은 쉽게 잠들기 어려우셨나 보다. 나는 옴브레도와 카밀라를 소개해 드렸다. 두 사람은 아주 정중히, 내가 그러했듯 고개를 살짝 숙이며 인사를 드렸다. 마치 나의 부모님에게 인사를 드리는 것처럼. 어쩌면 누구라도 기꺼이 그렇게 했을 수도 있지만 예의를 차리는 두 사람에게 큰 고마움을 느꼈다. 조금 지나칠 수도 있으나 감격과 비슷한 감정이었다.

침대에 눕자 창으로 살며시 들어온 달빛이 얼굴을 비췄다. 오늘 움베르도와 카밀라가 나와 함께 보내준 시간 그리고 한국 어르신들께 보여준 친절한 미소가 기억나는 따스한 달빛이다.

아직도 광장에서는 시끄러운 음악 소리가 끊이질 않지만 저절로 미소가 지어졌다. 다음날 보게 될 마추픽추에 대한 기대도 더해져 더욱 기분 좋게 잠들 수 있었다.

2

다음날 중요한 일정이 있으면 누군가 팍-하고 밀쳐서 깨운 것처럼 깜짝 놀라며 일어나게 된다. 이건 여행이 나에게 남긴 몇 가지 흔적 중 하나이다. 알람보다 효과적이므로 늦잠을 자서 곤혹스러운 일이 생기는 것을 방지해 준다. 다만 아주 편하게 스르르 눈을 뜬다면 얼마나 좋을까 하는 아쉬움이 남긴 하다.

여행에서는 경계 태세를 뾰족하게 세워야 한다. 이번 버스를 놓치면 '아~ 어쩔 수 없지' 하며 느긋이 기다릴 수 있는 한국에서와는 달리 한참을 기다려야 하는 수고와 약간의 짜증이 더해지니까. 근처 카페라도 들어가 여유롭게 기다릴 수도 있겠지만 이상하게도 여행 중에는 카페에서 시간을 보내는 것에 인색했다. 돈을 아끼기 위한 것도 있지만 어쩐지 어색한 일이 되어버렸달까? 주인을 기다리는 강아지처럼 터미널에 앉아 버스가 오기만을 하염없이 기다린다.

숙소에서도 역시 체크아웃 시간에 맞춰 늦지 않게 나가야 하므로 아침 일찍 일어나야 한다. 샤워실을 선점하여 깨끗이 씻고, 다시 방으로 돌아와서는 빠트리는 물건이 없도록 꼼꼼하게 짐을 챙기고 여러 번 체크해야 한다. 늦장을 부리다간 꼭 뭔가 하나씩 두고 오게 되니까. 콜롬비아에서 큰맘을 먹고 구매한 후안 발데스 보온병 역시 그런 물건 중 하나이다.

아무리 장기 여행이라도 한곳에 오래 머무르기보다 여기저기 메뚜기처럼 옮겨 다니는 신세이기에 스스로 정한 약속을 잘 지키고 부지런히 움직여야 한다. 그러려면 정신을 바짝 차려야 할 상황이 늘 존재한다. 이곳이 낯선 곳이라는 생각, 예상치 못한 무언가로부터 나 자신을 지켜야 한다는 생각이 뿌리 깊숙이 박혀있기에 편히 잠들지 못하고 언제든 쉽게 깰 수 있는 얕은 수면 상태를 유지할 수밖에 없다. 육체는 잠들고 유체 이탈을 한 영혼이 보초를 설 수 있다면 좋을 텐데.

3

그렇게 이번에도 번뜩 눈이 뜨였다. 여행 중 단 한 번도 늦잠으로 문제가 생긴 적이 없다. 어쩌면 여행이 꽤 적성에 맞는지도 모르겠다. 간단한 소지품만 작은 백팩에 넣었다. 움베르도와 카밀라와 약속을 해서 더욱 늦장을 부리면 안 되기도 하지만 이번 버스를 놓치면 다음 버스표를 구하거나 하룻밤을 이곳에 더 머물러야 한다. 그렇게 되면 손해가 이만저만이 아니다.

우리 셋은 비몽사몽인 채로 눈을 비비며 숙소를 나섰다. 아직 어두운 새벽. 야시장처럼 사람들이 기다랗게 줄지어 있는 걸 보고 경악했다. '이렇게 많은 사람이 마추픽추에 발을 디디면 내려앉지 않을까?' 하는 쓸데없는 상상을 하며 버스에 몸을 실었다. 어둡고 고요한 버스 안에선 사람들이 곯아떨어지는 소리가 곳곳에 들렸다. 길이 고르지 못해 버스가 덜컹덜컹 크게 흔들렸으나 개의치 않고 모두가 깊이 잠들었다.

여행 중 마추픽추를 다녀온 사람을 만난 적이 있다. 마추픽추를 실제로 보니 어땠는지 묻자 그 사람은 "사진을 하도 많이 봐서 실제로 보면 크게 감흥이 없었어요."라고 답했다. 심드렁한 표정으로 사진이 전부라고 말하는 걸 듣자 푸쉬쉬- 맥이 빠져버렸다. 그가 했던 말이 떠오르자 "그래도 여기까지 왔으니까…."하는 허탈한 마음과 "그래도 마추픽추인데!"하는 실낱같은 희망이 공존한다.

버스가 입구에 다다르자 서서히 동이 터 오른다. 오픈런을 준비하는 대기 줄처럼 버스에서 줄줄이 내린 사람들이 입구로 모여들었다. 다행히 줄은 빠르게 줄어들었다. 드디어 우리 차례가 되어 안으로 들어서자 고요한 새벽의 정취를 가득 담은 마추픽추가 한눈에 들어왔다.

이곳저곳에서 탄성이 나왔고 나도 모르게 "우와~ 우와~" 감탄을 연발하며 조심스럽게 마추픽추 안으로 한 발짝씩 더 들어갔다. 이 안에 가득 찬 공기는 저 아래에 있는 것과는 분명 다르다. 내가 이질적인 존재임이 확연하게 느껴질 정도로 아주 순수한 공기가 감싸고 있다.

뷰 포인트에 올라가 한눈에 마추픽추를 내려다보니 거대한 파도처럼 가슴이 울렁거린다. 해가 천천히 떠오르며 햇빛이 찬란하게 드리자 서서히 살아 움직이는 듯한 집터들과 생생하게 제 색을 뽐내는 잔디와 나무 그리고 그 속에서 환한 미소를 짓는 사람들의 표정까지도 명확히 보인다. 어느 한 가지도 놓치고 싶지 않은 아름다운 장면이다. 투박한 구조물들조차 하나의 작품처럼 멋지게 펼쳐졌다.

누군가가 나에게 마추픽추는 어땠냐고 물어본다면 “마추픽추는 사진으로 보는 것보다 오백 배는 더 멋지고 감동적이었어!”라고 자신 있게 답할 수 있다.

페루 사람들은 수학여행으로 마추픽추에 온다고 하지만(우리나라 불국사와 비슷한 느낌일까?) 남미가 아닌 머나먼 외국에서 온 나와 같은 사람들은 미지의 세계를 탐험하는 기분이다. 마치 인디아나 존스가 된 기분이랄까. 나를 포함해서 대부분은 마추픽추까지 버스로 편히 올라왔지만 직접 산을 타고 텐트를 치며 야영을 하는 사람들도 있다고 한다. 그 사람들은 지금 내가 느끼는 것보다 훨씬 큰 기쁨을 느끼겠지? 이런 방법이 있는 걸 미리 알았다면 트레킹을 했을지도 모르겠다.

마추픽추를 처음 발견한 예일대 교수 하이럼 빙엄은 이런 말을 했다.

카밀라가 보내준 사진:)

"Few romances can ever surpass that of the granite citadel on top of the beetling precipices of Machu Picchu, the crown of Inca Land."

"잉카 땅의 왕관, 마추픽추의 들쭉날쭉한 벼랑 위에 우뚝 선 화강암 도시의 낭만보다 더한 낭만은 없을 것이다."

스페인의 침략에도 끝끝내 밝혀지지 않은 미스터리 한 이곳에서 사람들이 어떻게 죽음에 이르게 되었는지는 무수한 가설만 있을 뿐이다. 대표적으로는 전염병, 식량부족이라는 두 가지 설이 있다. 어느 쪽이든 비극을 떠올리기 힘든 이 멋진 곳에서 서서히 죽어갔다고 생각하니 끔찍하다.

움베르도와 카밀라는 가이드 투어를 신청했다며 같이 조인하지 않겠냐고 물었지만 혼자 둘러보고 싶다고 답했다. 지금은 순서 따위는 신경 쓰지 않고 이곳저곳 돌아다니며 조용히 혼자만의 시간을 보내고 싶었다. 하지만 어딜 가나 가이드 투어 무리가 있어 고독한 시간을 보내기란 어려웠지만. 그래도 따로 또 같이 움직이는 묘미가 있다. 지나가다 우연히 가이드의 이야기를 엿듣게 되었는데 마추는 old, 픽추는 mountain이라는 뜻이다. 결국 마추픽추는 오래된 산이라고 번역할 수 있는데, 뭔가 대단한 의미가 담긴 줄 알았던 터라 조금 허무해져 버렸다.

정처 없이 발걸음을 움직이다 어젯밤 만났던 한국인 어르신들이 잔디에 앉아서 쉬고 계시는 걸 발견했다(마추픽추는 넓은 것 같으면서도 좁다). 또다시 먼저 다가가 인사를 드리니 역시나 반갑게 맞이해 주시며 깎아 오신 사과를 나눠 주셨다. 그중 한 분이 "아휴 여기까지 혼자 올 생각을 다 하고~ 기특해라."라며 칭찬해 주셨고 다른 분들도 흐뭇한 미소를 지으며 바라봐 주셨다.

다시 혼자가 되어 마추픽추를 천천히 거닐었다. 아침에 예민하게 곤두섰던 마음이 차분히 가라앉는다. 다시 뷰 포인트로 올라가 가만히 아래를 내려다보며 생각에 잠긴다.

아주 오래전 이곳에서 밥을 먹고, 뛰어놀고 또 즐겁게 대화를 나누던 사람들은 흔적도 없이 사라지고 말았다. 이들은 우리의 존재를 상상도 못 했겠지. 혼란스러운 바깥세상을 피해 몸을 숨기면서도 일상을 살아갔을 이들을 떠올려 본다. 결국 Life goes on. 우리와 똑같이 소중한 일상을 보냈겠지? 이들은 스페인군에게 발견되지 않았기에 자신의 영역을 지키며 최후를 맞이할 수 있었다. 쇠퇴에 이르는 마당에 무슨 상관인가 싶다가도 이 아름다운 성지가 누군가의 손에 망쳐지지 않았다는 사실이 몇 세기가 지난 지금에 와서도 다행이라 여겨진다.

마추픽추 하늘이 이토록 청명하고 좋은 경우는 정말 드물다고 한다. 손을 쭉 뻗으면 닿을 듯한 푸르른 하늘 아래 이질적인 존재로서의 기분을 마음껏 느낀다. 그러면서 사라져 버린 것과 곧 사라질 것에 대해 생각해 본다.

내가 사라지는 순간이 오면, 이 유적처럼 비석만 남을 뿐 맨눈으로는 나라는 존재를 확인할 수 있는 어떠한 흔적도 찾을 수 없게 되겠지. 어쩌면 비석마저 무성한 수풀 사이에 가려질지도 모른다. 살아있는 존재는 어떤 형태로든 쇠퇴할 수밖에 없지만… 그래도 망가지지 않는 삶을 살아가고 싶다.

그건 큰 욕심일까?

잔상만 남게 되더라도

1

페루와 볼리비아 사이에 자리 잡은 티티카카 호수는 세상에서 가장 높은 곳에 있는 호수이다. 게다가 제주도의 4.5 배나 되는 엄청난 크기여서 호수인지 바다인지 착각을 불러일으킨다. 끝이 보이지 않는 티티카카 호수를 가만히 바라보고 있자니 어디선가 바다 냄새가 나는 듯하다.

잔잔한 호수가 태양에 반사되어 투명하게 반짝거리는 윤슬이 너무나도 예쁘다. 유난히 하늘이 낮게 느껴져 구름이 티티카카 호수에 닿을 것만 같다. 아니 호수가 서서히 하늘을 삼킬 것만 같다.

갈매처럼 생긴 새 두어 마리가 전부인 썰렁한 선착장 주변에는 포장마차 천막 십여 개가 일렬로 나란히 세워져 있었다. kiosko(매점) 1부터 12까지 아니 그보다 많아 보이지만 더 나아가지 못하고 중간 정도의 숫자에 들어가 이른 점심을 먹었다. 이곳 모두 뚜루차(송어)를 전문으로 파는 포장마차이다. 기본 뚜루차부터 마늘을 곁들인 뚜루차, 양파와 토마토소스를 곁들인 뚜루차 등등 온갖 종류의 뚜루차를 맛볼 수 있다. 보통 레스토랑보다 10~15볼 정도

싸고 크기도 훨씬 크다. 적당한 굽기의 겉바속촉 뚜루차는 고기를 먹지 않는 나에게 제격인 메인디쉬이다. 더 오래 머물렀다면 뚜루차 종류를 모두 섭렵했을 텐데 무척이나 아쉽다. 오늘은 마늘을 곁들인 뚜루차를 먹기로 하자.

만족스러운 식사를 마치고 다시 호수가 잘 보이는 위치에(어디든 잘 보이지만) 털썩 앉았다. 물결이 잔잔히 흔들리는 모양을 멍하니 바라본다. 자연물은 오래도록 바라보기만 해도 괜히 코끝이 찡해지고 가슴이 서서히 벅차오른다. 바람 소리만 겨우 들릴 정도로 고요한 이 시간이 참을 수 없이 평화롭고 행복하다.

그러다 문득 '이렇게 마냥 좋기만 해도 될까?' 하는 불안감이 엄습한다. 정말 이상하게도 행복한 순간이 오면 일부러 정신을 똑바로 차리라는 듯 찬물을 끼얹는 생각이 종종 들곤 한다.

이렇게 남미에서의 시간을 오롯이 즐기다가도 돌아갈 날을 생각하니 눈앞이 깜깜해진다. 다시금 이어가야 하는 학업이라던가 취업에 대해 생각하지 않을 수 없으니까. 마치 금기어처럼 의식에 띄우지 않으려 애쓰지만, 불쑥불쑥 튀어나오는 건 어쩔 수 없다. 물론 한국으로 돌아가서 열심히 살고 싶지 않은 건 아니다. 그저 정말 그게 중요한 건지 잘 모르겠을 뿐이다. 냅다 달려나가 높은 곳에 도달하고 싶은 게 인간의 본성인지, 아니면 이렇게 유유자적하게 강물처럼 흘러가는 것만으로 충분한 건지 도무지 모르겠다.

공기가 점차 쌀쌀해졌음에도 호숫가를 오래도록 떠나지 못하고 있다. 마추픽추에서 돌아오는 잉카 레일 안에서 카메라를 잃어버린(혹은 도둑맞은) 탓에 마추픽추에서 찍은 사진은 모조리 날아가 버렸고, 물론 지금, 이 순간 두 눈에 가득 담긴 티티카카 호수 역시 사진으로 남기지 못한다. 볼리비아의 수도 라파즈에 가서야 제대로 된 카메라를 살 수 있다. 엉덩이를 툭툭 털고 일어나 등을 돌리게 되면 지금 눈앞에 있는 티티카카 호수의 모습은 영영 볼 수 없다.

그래서 최대한 오랫동안 두 눈에 머물 수 있도록 두고자 한다. 오랜 시간이 흘렀을 때 눈을 감아도 호수의 잔상이 푸르게 남아 있을 수 있도록.

나는 한동안 호숫가를 떠나지 못했다.

2

결국 지금은 맛있는 뚜루차 사진도 아름다운 호수 사진도 내 손에 없다. 어쩌면 당연하지만, 호수를 생생히 떠올릴 수도 없게 되었다. 사진으로 남긴 여행지는 "아~ 이랬었지", "맞아, 이렇게 생겼었어"라며 고개를 끄덕일 수 있지만 이 공백은 일렁이는 잔상만 남아 있을 뿐이다. 내가 본 장면을, 두 눈에 담으며 행복해했던 순간을 생생히 떠올릴 수 없는 건 너무나도 아쉬운 일이다.

하지만 그때 온몸으로 느꼈던 쓸쓸함과 불안함. 그럼에도 벅차올랐던 행복은 하나로 뒤엉켜 깊숙한 공간 속에 가만히 존재하고 있다. 버튼 하나만 누르면 도르르- 굴러 나와 한 손에 꼬옥 쥐어진다. 가만히 들여다보기만 해도 여전히 나를 눈물짓게 만들다가도 또 미소 짓게 한다. 어쩌다 한두 번 들여다보고 마는 사진과는 압축된 농도가 다르다.

지금껏 살아오며 사진으로 남기지 못한 아쉬운 순간들과 또 앞으로 만나게 될 너무나도 아쉬워질 날들이 겹겹이 쌓이게 되면 감당 못 할 그리움에 허우적댈지도 모른다. 사진이나 영상 그 이상의 기술이 나타나 더욱 생생히 잘 보관하더라도 결코 채워지지 못할 거다.

그럼 내가 할 수 있는 건 무엇일까? 그저 행복이 눈앞에 있을 때, 그것이 사라지기 전에 오랫동안 두 눈에 담아버리는 것. 그리고 그 순간 느껴지는 감정을 흘려보내지 않고 꾹꾹 눌러 가장 순수한 형태로 소중히 간직하는 게 다가 아닐까? 아, 그것만으로도 충분하다고 말할 수 있는 내가 되는 것도 포함해야겠다.

이 순간 열심히 타자를 두드리는 손가락은
훗날 주름진 손을 가진 내가 무척 그리워하게 되겠지?

햇살 아래 고양이처럼

따뜻한 햇살이 너무나도 잘 어울리는 수크레는 잠 많은 고양이처럼 생활하기에 제격인 도시이다. 수크레는 설탕이라는 뜻처럼 키가 작은 하얀 건물들이 나란히 질서 있게 줄지어져 있다. 그래서 하늘이 유난히 푸르르고 높게 느껴진다. 사람들의 얼굴은 구김이 없고 생기 넘쳤으며 눈빛은 달콤할 정도로 다정하다. 얼마 전까지 있었던 라파스의 팍팍하고 숨 막히는 분위기(실제로 고도가 높기도 하지만)와는 정반대이다.

라파스는 단 하루만 있더라도 '얼른 떠야지!'라는 생각이 들 정도로 황량한 도시였다. 처음 라파스를 마주했을 때의 충격이 잊히질 않는다. 움푹 들어간 거대한 구덩이에 황토색 집들이 완전히 다닥다닥 붙어 있었고 오르막에 자리 잡은 집들은 밑으로 쏟아져 내릴 것만 같이 아슬아슬했다. 도저히 수도라고는 믿기지 않을 정도로 낙후된 도시였다. 이곳에서는 마추픽추에서 잃어버린 카메라를 대신할 새 카메라를 사는 것 외에는 할 수 있는 것도 하고 싶은 것도 없었다.

결국 며칠 머물지 못하고 라파스를 떠나 수크레로 옮긴 이후에서야 비로소 진정한 휴식을 즐길 수 있었다. 처음 수크레를 방문한 목적은 스페인어 수업을 듣기 위해서였다. 볼리비아는 남미에서 물가가 싼 축에 속했기에 스페인어를 장기간 배우기 좋다. 그리고 이유는 모르겠으나 이곳에는 많은 스페인어 학원이 밀집되어 있다.

저렴한 수업료 덕에 1:1 수업을 신청할 수 있었으나, 나는 그리 수업에 열성적인 학생이 아니었다. 선생님 역시 내 또래의 대학생 정도로 큰 가르침을 주려는 사명은 없어 보였다. 여행에서 쓸만한 몇 문장을 선생님을 따라 몇 번 말하다 보면 금세 한 시간이 지나가 버렸다. 테스트도 과제도 없어 공부한다기보다는 외국인 친구와 대화하는 느낌으로 부담 없이 수업에 임할 수 있었다.

그렇게 수업을 마치면 마침 딱 점심시간이라 곧바로 근처 레스토랑에서 간단히 식사를 했다. 그리고 참새가 방앗간을 그냥 지나치지 못하듯 다음 발걸음은 로컬 시장으로 향한다. 이곳에는 내가 남미에서 가장 좋아하는 음식인 과일샐러드(Ensalada de Frutas) 가게가 줄지어 있다. 과일을 종류별로 전시해 둔 작은 가판대 뒤에 머리를 바짝 올리고 흰색 앞치마와 두건을 쓴 여성들이 서 있다. 과일샐러드는 갖가지 과일을 잘라 차곡차곡 쌓아 올리고 과자로 데코레이션을 한 뒤 생크림을 올리고 마무리로 시럽을 잔뜩 뿌린 디저트다. 용기 가득 채워져 있음에도 단돈 천 원밖에 하지 않는다.

과일샐러드를 테이크아웃하고서는 선선한 바람을 가르며 분수 근처 벤치에 앉는다. 오가는 사람들을 구경하며 햇살 아래서 맛보는 과일샐러드는 어찌나 달콤한지. 하얀 건물과 초록빛 나무가 잘 어우러지는 한 장면을 보니 눈이 너무나도 편해진다. 과일샐러드를 순식간에 다 먹고 나면 동네를 다시 크게 한 바퀴 돈다. 군더더기 없이 깔끔한 수크레의 전경을 보면 내 마음도 구석구석 깨끗하게 청소되는 기분이다. 다음으로 내가 향하는 곳은 엘파티오라는 유명한 살테냐(남미식 만두) 가게이다. 현지인들도 길게 줄을 서는 이곳 살테냐는 남미에서 먹은 유일한 육류인데 정말이지 나와의 약속을 깰 정도로 맛있다. 호스텔 방명록에 반드시 먹어야 한다고 쓰여 있어 호기심에 사 먹은 게 화근이다. 그래도 욕심내지 않고 두 개만 사서 호스텔로 돌아간다.

호스텔 방 안에서 살테냐 두 개를 한 번에 해치우고는 침대에 그대로 몸을 내맡긴다. 큰 창을 통해 들어오는 햇살을 귀찮아하지 않고 만족스러운 미소로 깊이 잠든다. 많은 사람이 수크레를 두고 '지친 여행자가 머물기 좋은 도시'라고 이야기한 이유를 확실히 알게 되는 순간.

낮잠을 거의 자지 않는 나로서는 푹푹 쓰러져 잘만 잤던 그때의 내가 무척 낯설고 신기하다. 눈을 뜨고 있다고 해서 모든 시간을 다 내 뜻대로 좌지우지할 수 없는 건데, 무슨 욕심에 이렇게 내려놓지 못하고 바삐 살아가는 건지.

주말에 시간을 쪼개서라도 고양이 타임을 만들어야겠다. 햇살이 잘 들어오도록 문을 활짝 열고 기분 좋게 배부른 상태에서 쿨쿨 잠들어야지.

SPANISH LESSONS
새로운 언어를 배우고…
um…
맛있는 음식을 먹고~
시원한 바람을 쐬며 여유를 부린다 :)
나름 복습도 함;;
…

건물이 대부분 하얀 수크레 마을~

스페인어 학원!

좀 더 열심히 공부할걸 그랬나?

과일 샐러드 가게는 사랑입니다♡

햇살 아래 고양이처럼 모든 근심을 내려놓고

낮잠을 잘 수 있었던 나날들.

지금, 이곳에서도 그럴 수 있을까?

일생에 단 한 번이라도

1

누구라도 우유니 소금 사막 사진을 본다면 반드시 버킷리스트에 넣게 될거라 생각한다. 세상에서 가장 큰 거울이라 불리는 우유니 소금 사막은 우기가 되면 새하얀 소금 결정체로 이루어진 지면에 빗물이 흡수되지 않고 자작하게 고인다. 그렇게 고인 투명한 물은 하늘을 그대로 비추는데, 푸른 하늘과 하얀 구름이 땅 위에 펼쳐지면 '이곳이 천국이 아닐까?' 하는 생각이 저절로 든다.

2

달콤했던 수크레를 떠나 9시간 버스로 이동하여 도착한 우유니는 예상치 못한 모습으로 나를 맞이했다. 마치 잠이 덜 깬 채 헝클어진 머리로 "누구세요?" 하고 문을 여는 사람처럼. 낮고 허름한 건물이 어정쩡한 간격으로 늘어져 있고, 쓰레기가 이리저리 굴러다닌다. 그런 마을과 꼭 어울리는 으스스한 호스텔에 들어서니 희미한 조명이 깜빡이고 나무 바닥은 삐걱거렸다. 우유니에서는 비자 문제로 오래 머무를 수 없어 곧장 사막 투어를 해야 했기에 당황할 새도 없이 짐만 대충 풀어놓고 호스텔 밖으로 나섰다. 시간이 늦어 오늘 당장 투어는 힘들지만, 내일 곧바로 사막에 갈 수 있도록 여행사 투어를 예약해야 한다.

누구나 꿈꾸는 물이 고인 사막을 보기 위해서는 우기인 12~3월 사이에 와야 했는데 이를 계산할 새도 없이 갑작스러운 여행 결정으로 건기인 7월 중순에 이곳에 불시착했다. 하지만 다행히도 남미 여행 카페에서 건기임에도 물이 있는 곳으로 데려다준다는 H여행사를 추천받아 지푸라기를 잡는 심정으로 찾아가 문을 두드렸다. 일본 여행객에게 특히 유명하다는 H여행사는 벽면 가득 일본어 추천사가 쓰여있고 드문드문 한국어로 된 추천사도 발견할 수 있다.

사장님은 확신에 찬 표정으로 위풍당당하게 "물이 있는 곳에 갈 수 있어요."라고 말했다. 망설임 없는 그녀의 대답에 홀린 듯 곧장 계약했다. 혹시나 하는 마음으로 투어 멤버에 한국인이 있는지 묻자(없어도 상관없지만) 그녀는 또다시 망설이지 않고 "지금은 없지만 내일 아침 버스터미널에서 데려올게요."라고 답했다. 내일 아침에 데려온다는 말에 살짝 갸우뚱해졌다. '사람을 자판기처럼 뽑아 올 수 있는 건가?'

계약을 마치고 썩 들어가고 싶은 마음이 들지 않는 호스텔로 다시 터덜터덜 돌아왔다. 다행히 따뜻한 물이 잘 나와 샤워를 무사히 마치고 곧장 침대에 풀썩 쓰러졌다. 버스를 너무 오래 타기도 했고 도착하자마자 쉬지 않고 여행사에 들렀기에 지칠 대로 지쳤다. 그대로 잠이 들 거라 생각했으나 아주 늦게까지 밤잠을 설치고 말았다. 내일 우유니 소금 사막을 만날 생각에 설레서 그런가 싶었으나, 방안이 무척이나 추운 탓이었다. 수크레와는 확연히 다른 환경에 전혀 적응되지 않는다. 우유니가 추운지 이 호스텔 난방이 잘 작동하지 않는 건지 모르겠다. 어쩌면 둘 다일 수도.

3

다음 날 아침 약속 시각에 맞춰 H여행사로 갔다. 원래라면 1박 2일 투어로 사막 한가운데에 자리 잡은 소금 호텔에서 숙박하려고 했으나 소금 호텔이 무너져 버리는 바람에 아쉽지만, 노을을 보며 마무리하는 선셋 투어로 변경되었다. 역시 소금으로 만들어져서 그런지 내구성이 약한 건가? 사장님은 소금 호텔에서 잠을 잘 수는 있지만 아마 엄청 힘들 거라고 말씀하셨다. 어제 숙소 안에서도 추위로 고생을 한 탓에 그런 위험을 감수하고 싶지 않다.

별생각 없이 팀 명단을 쭉 살펴보다 깜짝 놀랐다. 정말로 한국인이 한 명 추가되어 있던 것! C언니는 이른 새벽에 우유니 터미널에 도착했는데 갑자기 어떤 아주머니가 다가와 다짜고짜 어느 나라 사람이냐고 물어봤다는 거다. 한국 사람이라고 하니 자기 투어에도 한국 사람 한 명이 있다며 가자고 해서 무작정 따라왔다고 한다. 엄청난 섭외력에 혀를 내두를 수밖에 없다. 동시에 이 사장님은 거짓말을 할 사람은 아니라는 확신이 들었고, 물이 있는 곳에 데려다줄 것이라 믿어 의심치 않게 되었다.

우리 두 사람을 제외한 다른 멤버는 모두 일본인 친구들이다. 한국인 두 명과 일본인 다섯 명의 조합으로 7명이 한 팀이 되어 지프에 올라탔다.

지프는 얼마 달리지 않아 우유니 사막 필수 투어 장소인 기차 무덤에서 멈춰 섰다. 그저 기차가 고장 나서 못 쓰게 되었을 뿐인데 무덤이라는 단어가 붙자 뭔가 대단한 사연이 있을 것만 같다. 우리는 다 같이 내려 사진을 찍으며 주변을 둘러보다가 다시 차를 타고 출발했다. 우리의 관심사는 오로지 물이 가득 찬 우유니이다.

꾸벅꾸벅 졸다 정신을 차려보니 어느새 지프는 눈이 시릴 정도로 하얀 우유니 사막을 달리고 있다. 사막의 바닥은 하얀 소금 결정체들이 거북이 등껍질처럼 커다란 육각형의 모양으로 갈라졌다. 물이 없는 우유니 사막은 큰 감흥이 없을 거라 생각했는데, 햇빛에 반사되어 반짝거리는 소금은 정말이지 하얀 눈처럼 예쁘다. 마치 형광등을 켜놓은 것처럼 하얗게 빛나 새파란 하늘과 확연히 대비된다. 구름 한 점 없어 더욱 비현실적으로 느껴져 마치 그래픽 속에 있는 것만 같다. 먼 곳을 바라보고 있자니 머리가 이상해지는 느낌이다.

지프차가 또다시 정차했고 우리는 바스락-하고 소금땅을 밟았다. 가이드 아저씨는 소금 채굴장으로 가보자며 우리에게 따라오라고 손짓했다. 채굴장이라고 하면 커다란 동굴일 텐데 이 허허벌판에 그런 곳이 있다는 게 상상조차 되지 않는다. 의문을 가득 가진 채 아저씨의 뒤를 따라가는데, 그는 몇 걸음 안 가서 갑자기 멈춰 섰다. 알고 보니 사막 한가운데 뚫린 작은 구멍들을 채굴장이라고 부른 것이다.

구멍 안을 들여다보니 물이 가득 고여있다. 손을 넣으니 얼음장같이 차가워 "앗!" 소리를 내며 곧바로 손을 뺐다. 하지만 아저씨는 익숙하다는 듯 굴하지 않고 손을 깊이 쑤욱 넣더니 휘휘- 열심히 손을 움직였다. 그러고는 작은 소금 결정체 몇 조각을 떼어내어 우리에게 나눠주셨다. 마치 원석처럼 투명하고 제멋대로 각이 져 있다. 혀로 살짝 맛을 보니 짠맛이 강하게 느껴진다. 빨개진 아저씨의 손이 너무나도 시려 보여 괜히 미안한 마음이 들어 연신 "Gracias(그라시아스, 감사합니다)"라고 감사의 인사를 드렸다. 그는 쑥스러운 듯 미소를 지으셨다.

다시 지프차를 타고 우리는 마지막 종착지로 향했다. 고요한 차안. 아무 말을 하지 않아도 이 공간에는 설렘이 가득 차 있는 게 느껴진다. 하지만 섣불리 그 마음을 표현할 수 없는 상황이다.

'메마른 소금 결정체가 가득한 이곳에 과연 물이 고인 곳이 있을까?' 건기인지라 만약 물이 고여있다 해도 사진에서 본 것처럼 물이 가득 차는 건 힘들 거다. '아주 쬐금 웅덩이처럼 고여있지 않을까?' 그 정도라도 좋으니 하늘이 작게 비치기만 해도 좋을 거라고 생각한 순간.

좌르르륵-

자동차 바퀴가 물 위를 부드럽게 구르는 소리가 선명하게 들렸다. 순식간에 주변은 다른 공간으로 변했다. 지평선 끝까지 물이 가득 찬 우유니 사막이 태양을 머금어 그 무엇보다 찬란하게 빛나며 우리를 반겼다.

우리는 장화로 갈아 신고 차가 멈추자마자 곧장 문을 열고 밖으로 튕겨 나갔다. 발이 닿자 차박- 하고 자작하게 고여 있는 물웅덩이가 느껴졌다. 저 멀리 지평선 끝에 산이 없었더라면 하늘과 땅을 구분하기 어려웠을 거다. 하늘은 데칼코마니처럼 지상에도 존재한다. 도저히 눈을 뗄 수 없는 초현실적인 아름다움이다. 일본 친구들은 "스고이~"를 남발하였고, C언니와 나도 따라서 "스고이~"라고 외쳤다. 하늘에 떠 있는 구름과 태양이 내 발밑에 있다니!

왜 아름다운 장면을 마주하면 시간이 멈춘 것만 같은 기분이 드는 걸까? 반짝이는 윤슬과 잔잔한 물결 그리고 휘이휘이 불어오는 바람 소리까지 모든 게 완벽하다. 눈이 멀 것 같은 강한 빛을 내뿜는 태양이 두 개나 있으니 더욱 마음이 강렬하게 요동친다. 얼마나 투명했으면 이토록 완벽하게 하늘을 담을 수 있는지…! 몸을 한 바퀴 돌며 사방을 바라보니 끝없이 펼쳐진 두 개의 하늘로 세상이 꽉 차 있다. 홀로 낯선 행성에 남겨진 듯 몽롱하다.

주변에 움직이는 물체는 우리밖에 없었다. 구름도 아주 천천히 이동하여 정말 모든 게 멈추기라도 한 듯한 착각이 든다. 정말 그렇게 되더라도 그리 나쁘지 않을 것만 같다. 하지만 천천히 해가 기울어 가자 시간은 절대 멈추지 않는다는 걸 자각할 수밖에 없다. 두 개의 태양이 하나로 합쳐지는 순간, 행성이 부딪힌 듯 번쩍였다.

어느새 태양이 지평선 너머로 완벽히 모습을 감추고 붉은 노을만 그 존재를 기억하듯 잔상이 되어 남아 있다. 내일이 오면 또다시 어디서나 태양이 떠오르는 걸 알면서도 자꾸만 아쉽고 서글퍼진다. 완벽한 선셋 투어의 마무리. 해가 사라진 사막은 기온이 급격히 떨어져 몸이 으슬으슬할 정도로 추워졌다. 다시 생각해 봐도 소금 호텔에서의 1박을 취소한 건 아주 현명한 선택이었다.

우유니 소금사막과의 인연은 이로써 끝났다고 생각했는데 지프가 여행사 앞에 멈추자마자 일본인 친구들이 나에게 잠깐 기다려 달라고 하고는 사장님과 무언가 협상을 하기 시작했다. 대화가 만족스럽게 끝났는지 밝은 표정으로 다가와 나이트 투어를 하지 않겠느냐고 제안했다. 우유니 사막의 밤은 얼마나 멋질지 무척 궁금했기에 곧바로 승낙했다. 그리고 이들은 근처 레스토랑에 갔다 온다며 갑자기 사라졌다가 한국인과 일본인 여러 명을 일망타진하여 함께 나타났다. 아마 검은 머리 동양인을 보면 무조건 투어를 함께 하자고 제안한 모양이다. 덕분에 저렴한 가격으로 나이트 투어를 떠날 수 있었다.

다시 지프에 올라타 어둠을 뚫고 우유니 사막 속으로 달려갔다. 별이 반사되어 발밑이 반짝거리는 장면을 상상했지만, 달이 너무나도 밝은 나머지 하늘이 빗물에 반사되지는 않았다. 하지만 아쉬워할 새도 없이 선명한 은하수가 마법처럼 펼쳐져 있었다. 주변에는 금방이라도 쏟아져 내릴 것만 같은 별들이 우수수 하늘을 수놓았고 별똥별이 얇은 빗금을 그리며 떨어졌다. 별똥별이 하나씩 떨어질 때마다 모두가 동시에 손가락으로 하늘을 가리키며 "오오-" 하며 환호성을 질렀다.

이 모든 게 너무나도 아름다워 잠깐이라도 눈을 깜빡거릴 수조차 없다. 이 순간은 영원히 다시 오지 않을 것만 같으니까. 기후변화로 인해 곧 우유니 사막이 사라져 가니 어쩌니 하는 것과는 별개로 그저 나에게 주어진 순간이 지금 밖에 없을 것만 같은 슬픈 기분이 들었다. 내가 남미에서 꼭 가고 싶었던 세 장소(렌소이스 마라녠시스 국립공원, 로라이마, 우유니 소금사막)를 모두 다 클리어했기에 여행이 끝을 향해 달려가고 있다는 게 덜컥 실감이 났다.

잊지 못할 여러 순간이 영사기처럼 촤르륵 지나간다. '이토록 가슴을 뛰게 만드는 순간을 언제 또다시 경험할 수 있을까?', '언젠가 다시 이곳에 돌아와도 변치 않은 모습일까?', '다시 왔을 때 또다시 이 정도로 감동을 할 수 있는 사람일까?' 여러 복잡한 마음이 한꺼번에 밀려든다. 그러나 분명한 건 용기 내지 않았더라면 이토록 아름다운 장면은 평생 보지 못하고 죽었을지도 모른다는 것.

'그렇다면 이런 건 일생에 단 한 번이라도 괜찮지 않을까?'

일렁이는 은하수를 두 눈에 가득 담으며 생각했다.

칠레산 화이트 와인

지금 나이쯤이면 와인의 기호 정도는 자세히 설명할 수 있는 어른이 될 줄 알았지만, 그와는 동떨어진 삶을 살고 있다. 와인을 마실 일이 적기도 하고 확실히 애주가나 미식가와는 거리가 먼 사람이니까. 그래도 어쩌다 약속이 생겨 와인을 마실 기회가 있다면 메뉴판을 스윽 훑어본 후 망설임 선택한다. '칠레산 화이트 와인'. 풍미나 바디감 뭐 이런 건 모르겠다. 무조건 '칠레산 화이트 와인'이다.

칠레는 아르헨티나로 넘어가는 다리 정도로만 생각했고 특별히 가고 싶은 곳이 없었던 터라 수도인 산티아고에만 잠시 머물렀다. 그래도 아무것도 안 하고 시간을 보내기는 아깝기도 해서 남미 여행 카페를 검색해 보다 덜컥 콘차이토로 와이너리 투어를 신청했다. 칠레는 와인으로 유명한 데다가 악마가 사는 와이너리라고 하니 문득 호기심이 생긴 거다.

어쩌다 이곳이 악마가 사는 와인 창고가 되었는지 알기 위해선 100년 전으로 거슬러 올라가야 한다. 당시 콘차이토로 와이너리의 와인 맛이 점차 유명해지면서 밤늦게 도둑들이 몰래 들어와 와인을 훔쳐 가는 일이 무척 빈번해졌다. 주인장은 어떻게 하면 와인을 지킬 수 있을지 고민하다 번뜩이는 묘안을 생각해냈다. 그는 어두운 밤 악마 복장을 하고 몰래 숨어있다가 도둑이 나타나면 깜짝 놀라게 해서 쫓아내었고, 그로 인해 소중한 와인을 지킬 수 있었다. 지금은 그 재치 있는 주인장은 사라지고 악마 형상의 붉은 그림자만 남아 있게 되었는데 이 악마 문양이 와이너리의 상징이 되었다.

투어 비용에는 레드 와인과 화이트 와인 각각 한 잔의 가격이 포함되어 있다. 가이드가 먼저 화이트 와인을 한잔씩 따라주었는데 별 기대 없이 받아 마신 첫 모금에 깜짝 놀라 두 눈이 번쩍 뜨였다. 비유가 아니라 정말로 머리 위로 폭죽이 터진 듯 눈이 크게 휘둥그레졌다.

입안에 상큼하게 팡-하고 터지는 과일 향이 너무나도 충격적으로 맛있었다. 가이드가 한 잔 더 마시고 싶은 사람은 언제든 말하라고 하여 단숨에 한 잔을 비운 나는 곧바로 와인잔을 내밀었다. '한국인은 정말 술을 좋아한다니까'라고 생각해도 어쩔 수 없다.

화이트 와인에 대한 강렬한 기억은 지금까지도 와인 선택을 아주 단순하게 만들어 주었다. 이것도 나에게 남은 남미의 흔적 중 하나인 셈이다.

칠레산 화이트 와인을 목구멍으로 흘려보내며 악마가 사는 와이너리에 대해서 떠올린다. 그러다가 '어라? 그때 기념으로 와인잔을 받았었는데 어떻게 했더라?' 곰곰이 생각한다. '아하!' 깨지기 쉬운 유리잔이라 아르헨티나까지 겨우 가져가서는 후지 여관 부엌에 두고 간 걸 기억해 낸다.

후지 여관 부엌 찬장은 여행자들이 두고 간 와인잔들로 가득 채워져 있다. 스무 개는 족히 넘을 것이다. 아주 가지런하게 일렬로 세워져 반들반들 윤이 나는 와인잔들을 보며 웃음이 터졌다. '다들 용케 아르헨티나까지는 가져왔구나' 하면서 말이다.

언젠가 시간이 흐르면 '역시 와인은 프랑스지'라고 거들먹거릴 수도 있지만, 그래도 결국은 칠레산 화이트 와인을 다시 찾지 않을까?

내 마음은 항상 그곳을 기억할 준비가 되어 있으니까.

그대의 눈동자에
Cheers~
TRIO
CHILE

와인에 처음 눈을 뜨다!!

혼자 하는 여행이 좋은 이유

기본적으로 배낭여행을 한다는 건 세련된 것과 거리가 먼 생활이다. 투박한 호스텔 도미토리에 묵는 게 자연스러운 것이며, 그걸 궁상이라 느끼지 않고 오히려 낭만이라 여긴다.

그때의 나는 배낭여행자라는 신분에서 누릴 수 있는 건 뭐든 누리고 싶었고, 실제로도 그렇게 할 수 있었다. 앞으로 살아갈 날은 많지만 20대 배낭여행자로서 느낄 수 있는 건 이때뿐이라고 생각했으니까. 10년이 지난 지금 생각해도 반박할 수 없다. 아무리 청년 나이가 30대 후반으로 늘어났을지라도 말이다.

게다가 워낙 꼼꼼한 성격은 못 되는지라 여행 중 숙소는 지금 머무는 숙소를 떠나기 바로 직전에 세 군데 정도만 인터넷으로 봐 두었다가 도착하면 하나씩 직접 찾아가 문을 두드리는 식으로 구했다. 내가 찾는 숙소는 주로 4 beds나 6 beds의 도미토리여서 잘 곳이 없어 전전긍긍하며 떠돌아야 하는 난감한 상황은 단 한 번도 없었다.

휴양하러 온 것이 아니니 숙소의 퀄리티가 크게 중요하지 않다. 아무리 지어진 지 수십 년은 된 것처럼 우중충하고 화장실이 노후화되었다 해도 저렴하고 아침 식사가 포함되어 있다면 충분하다. 물론 자고 일어나니 다리에 빈대 물린 자국이 잔뜩 있었다는 곳은 피하겠지만.

가장 걱정되었던 것이 '과연 여러 사람이 뒤섞여 지내는 도미토리에서 버틸 수 있는가?'였다. 여행을 떠나기 전에는 나와 같은 성향의 사람은 친구를 사귀기 힘들 거라 생각했다. 처음 보는 사람과 한방을 쓰며 오래된 친구처럼 하하 호호 밤늦도록 수다를 떨고, 다음날 일어나 오늘 하루도 힘내자며 큰 소리로 "파이팅!"을 외치는, 그런 부류의 사람이 아니기 때문이다. 배낭여행은 그런 외향적인 사람들의 전유물이라는 편견을 가졌는지도 모른다.

예상과는 달리 도미토리는 시끌벅적하거나 북적거리기보다는 늘 평온하고 안락했다. 고단한 여정을 마무리한 지친 여행자들은 도미토리에 조용히 들어와 깊은 잠에 빠지거나, 일기를 쓰거나 사진을 정리하는 등 각자의 방식으로 하루를 마무리했다. 물론 다 같이 모일 수 있는 공유 공간에 나가면 활기가 넘치고 즐거운 대화가 오갔지만 말이다.

고독한 여행이 될 거라는 생각과는 달리 어느 호스텔이든 홀로 외롭게 지낸 시간보다는 새로운 친구들에 둘러싸여 행복한 시간을 보낼 수 있었다. 물론 먼저 다가와 준 적극적인 친구들이 있었지만, 대부분은 물 흐르듯 자연스럽게 말을 섞게 되었다. "지금 광장으로 갈 건데 같이 갈래?", "추천받은 식당이 있는데 같이 점심 먹을래?" 등과 같은 식이다.

여행에서 만난 사람들과 가까워질 수 있었던 가장 큰 이유를 꼽자면 '혼자'여서가 아닐까? 만약 일행과 함께 있었더라면 누군가가 나에게 다가오기 힘들었을 것이다. 반대로 내가 다가갈 이유 역시 없었을지도 모른다. 혼자였기에 상대 쪽이 혼자든 여럿이든 나에게 쉽게 말을 걸어왔고, 나 역시 반갑게 응할 수 있었다. 무엇보다 나는 한눈에 보기에도 위협적이지 않고 공격성이 전혀 없어 보이기에 나와 엮인다고 해서 위험한 일이 생기진 않을 거라고 판단했을 거다.

남미에 홀로 덩그러니 있는 나를 보며 현지인들은 걱정스러운 마음을 여과 없이 드러냈고 같은 입장의 여행자들 역시 젊은 여성이 혼자 여행한다는 것을 무척이나 신기한 눈으로 바라봤다. 남미에서는 혼자라는 것만으로 사람들의 호기심을 유발할 수 있었다. '저 사람은 무슨 생각으로 여기까지 왔을까?' 하는 거 말이다. 그게 아니라면 단순히 혼자 있는 게 안쓰러워서 다가왔을 수도 있겠지만.

산전수전을 다 겪은 여행 후반이 돼서야 누군가가 나에게 다가오기를 기다리지 않고 먼저 다가갈 수 있었다. 정들었던 사람들과 힘든 이별을 하고, 10시간 동안 버스로 이동하여 새로운 장소에 도착하면 그 외로움은 어마어마하게 증폭된다. '도저히 참을 수 없다'라는 느낌이 들 정도로. 그러면 누군가 옆에 있어 주길 바라게 되고 결국 용기를 낼 수밖에 없다.

'나는 혼자 이곳에 왔고 당신(혹은 당신들)과 함께 소중한 시간을 보내고 싶어요'라는 내밀한 마음을 어필해야 한다. 민망하지도 않은지 어쩜 그토록 적극적으로 다가갈 수 있었을까? 지금 생각하면 신기하다. 부끄러움을 무릅쓰고 직진할 수 있었던 건 나름대로 확신이 있지 않았을까? 나와 같은 여행자라면, 그것도 남미까지 온 사람이라면 아주 중요한 부분을 공유할 수 있을 거라는 확신. 그

중요한 '무언가'를 지금이 아니면, 이 사람이 아니면 나누기 힘들 것이라는 걸 직감적으로 알았던 게 분명하다. 그리고 돌이켜보면 그 직감은 딱 맞아떨어졌다.

홀로 남미 여행의 길고 쓸쓸한 시간을 버텼다면 어땠을까? 가득 차고 흘러넘치는 혼자만의 시간을 겨우 채우고 나면 나머지 빈 곳은 어쩔 도리 없이 공허해졌을 테다. 그랬더라면 이 여행이 이토록 기억에 남을 리 없다.

혼자였기에, 누군가와 함께할 수 있는 공간을 남겨뒀기에, 그 공간이 따뜻하고 사랑스러운 것들로 가득 채워질 수 있지 않았을까?

광활한 파타고니아를 바라보며

1

노트북을 켜면 잠금 화면에 반갑고 낯익은 사진이 뜬다. 바로 세계 3대 미봉이라 불리는 피츠로이.

새하얀 눈과 구름, 거대한 골짜기 사이로 흐르는 강, 빙하가 녹아서 이루어진 호수. 모든 자연물이 서로 조화롭게 어우러져 절경을 이룬다. 그 한가운데 세워져 있는 여러 개의 봉우리는 누군가가 뽐내기 위해 높이 세운 동상처럼 보인다.

파타고니아의 아름다운 대자연을 온몸으로 느낄 수 있던 피츠로이 트레킹을 어떻게 잊을 수 있을까.

2

바릴로체 1004 호스텔에서 만난 강릉에서 온 세 명의 오빠와 함께 피츠로이가 있는 엘찬튼 마을로 향하는 버스에 올라탔다.

대화도 몇 마디 나누지 않은 사람들에게 대뜸 "오늘 엘찬튼에 갈 때 따라가도 되나요?"라고 물었을 때 이들은 조금 놀란 듯 보였으나 흔쾌히 허락해 주었다. 오래 여행하다 보니 얼굴이 꽤 두꺼워졌으나 그럼에도 내향적인 내가 입을 떼기 쉬웠던 것은 아니다.

하지만 용기 낼 수 있었던 건 혼자 산을 오를 자신이 없고(게다가 눈이 가득 덮인 산을), 여행을 통해 얻은 교훈 중 하나는 힘든 여정일수록 혼자 하는 것보다 여럿이 함께해야 한다는 거다.

누군가가 함께함으로써 이곳은 낯설고 무서운 곳에서 안전한 장소가 된다. 적당한 거리를 유지하며 서로의 존재를 확인해 주는 눈마주침과 짧은 응원의 말에 고통은 가벼워지고 더욱 힘주어 발을 내디딜 수 있다.

게다가 잠깐 본 사람들이지만 이 세 사람의 분위기가 따뜻하고 좋아 보여 그에 합류하고 싶었다. 그런 따뜻함에 이끌리고 애써 찾는 건, 인간의 본성 같은 걸까?

3

버스에는 우리 네 사람 외에 두세 사람 정도의 승객만 있어 자리가 텅텅 비어 있었고 아주 고요했다. 터미널까지 걸어가는 길도 또 터미널에서 버스를 기다리는 시간도 너무나도 조용하고 어색해서 '괜히 따라왔나?'라는 생각이 수십 번은 더 들었다. 하지만 이제 와서 되돌아갈 수는 없는 노릇이다. 창밖에는 황량하고 쌀쌀한 경치만이 쭈욱 이어졌다. 아르헨티나는 한국 정반대 남반구에 있어 7월이지만 계절은 겨울이다.

하얀 눈바람이 불어오는 길을 큰 흔들림 없이 매끄럽게 잘 달려가던 버스가 조금씩 움직임이 더뎌지더니 길 한복판에서 갑자기 멈추어 섰다. 버스 기사 아저씨가 운전석에서 일어나 우리 쪽으로 몸을 돌려 별일 아니라는 표정으로 스페인어로 무어라 말씀하셨다. 다시 기사 아저씨가 운전대를 잡고 출발하나 싶더니 얼마 안 가 생뚱맞게 도롯가에 서 있는 작은 호텔 겸 레스토랑 앞에 멈춰 섰다. 알고 보니 버스에 문제가 생겨서 다른 버스로 갈아타기 전까지 여기서 기다려라는 말이었다.

어쩔 도리 없이 우리는 버스에서 내려 레스토랑으로 향했다. 레스토랑은 생각보다 더 아담했고 게다가 손님까지 없어 프라이빗한 공간처럼 느껴진다.

한참을 레스토랑에서 시간을 보내는데 금방 돌아올 것 같던 기사님은 깜깜무소식이다. 이곳에 머무는 시간이 길어지면서 우리는 서로에 대해, 여행에 대해 이런저런 이야기를 터놓고 하게 되었다.

여기는 지구 반대편, 바깥의 눈보라는 점점 강해지고 날이 어두워지는 가운데 한국인 네 사람만 모여 있으니 똘똘 뭉칠 수밖에 없는 건 어찌 보면 당연하다.

다행히 버스 기사 아저씨가 우리를 잊지 않고 돌아오셨으나 예정보다 두 시간이나 늦은 밤 10시가 되어서야 엘찬튼에 도착했다. 버스에 내리고 나서야 J오빠가 간식을 가득 담은 봉지를 이전 버스에 두고 내린 걸 알게 되었다. 그는 굉장히 자책했지만 다른 두 사람이 괜찮다며 위로해 주었다. 다행히 근처에 문을 연 슈퍼가 있어서 우리는 내일 트레킹을 하며 먹을 간식을 사고선 호스텔을 찾아갔다.

늦은 밤이었지만 저녁을 먹지 못한 터라 호스텔 내 레스토랑에서 바로 식사를 주문해 허기를 채웠다. 더 놀고 싶은 마음이 있었지만, 다음 날 일찍이 피츠로이 트레킹을 하기 위해 곧장 잠자리에 들었다.

4

아침 7시에 일어나 트래킹할 만반의 준비를 했다. 아침 식사가 7시 반부터 가능하다고 하여 시간에 맞추어 레스토랑으로 내려갔으나 기대와는 달리 아침 식사로 가능한 메뉴가 스크램블에그밖에 없어 든든히 배를 채우진 못했다. 게다가 믿었던 런치 박스마저 안 된다고 하자 어제 조금 사둔 과자만으로 버텨야 한다는 사실에 좌절하고 말았다. 하지만 이제는 시간을 지체할 수 없다.

호스텔을 나서자 찬 바람이 온몸을 덮쳤다. 페루에서 산 털모자를 더욱 단단히 고쳐 쓰고 힘들게 한 걸음 한 걸음을 내디뎠다. 그런데 어디선가 갑자기 커다란 개 두 마리가 나타나 우리를 쫓아오는 것! 산까지 따라오면 분명 힘들어할 것 같아서 "훠이~ 훠이~" 소리를 내며 돌려보내려 했으나 그들은 포기하지 않고 계속 따라왔다. 결국 피츠로이 산 초입부에서 검은 털의 개는 포기하고 뒤돌아 갔으나, 흰 개는 끝까지 쫓아왔다. 개의 이름을 알 리 없는 우리는 그냥 '마리오'라고 부르기로 했다. 커다란 덩치에 새하얀 털을 가진 마리오는 포인트로 엉덩이 부분만 갈색 털이 나 있다.

8시가 되었음에도 한밤중인 것처럼 주위는 어두컴컴하다. 바람도 많이 불어 몸이 덜덜 떨려왔다. 아무래도 남자와 여자는 체력에 차이가 나기 때문에 뒤처지지 않도록 마음을 단단히 먹었지만, 추위까지 더해지니 무척이나 힘들었다. 그런데도 먼저 쉬자는 말을 하고 싶지 않았던 건 괜히 따라와 방해되었다는 이야기를 듣고 싶지 않았고(물론 그러지 않겠지만), 약해 보이는 건 자존심이 허락하지 않았다.

좁은 산길을 핸드폰 플래시 불빛에 의존하여 한 줄로 천천히 걸어갔다. 시야가 멀리까지 닿지 않아 조심해서 한 걸음 한 걸음 내디딜 수밖에 없는데 마리오는 눈이 차가워서인지 신이 난 건지 혀를 내밀며 폴짝폴짝 뛰며 잘도 따라왔다. 우리는 마리오가 도중에 힘이 빠져버릴까 걱정이 되어 다시 마리오를 돌려보내려 애썼으나 결코 단념시킬 수 없었다.

어느새 동이 트고 시야가 밝아지자 으스스했던 겨울 산이 서서히 본연의 모습을 드러내기 시작했다. 새하얀 눈이 산을 온통 덮고 있었고 햇살이 닿자 반짝이며 빛을 내뿜었다. 꽁꽁 얼었던 구름과 시냇물도 천천히 흘러갔고 헐벗은 나무도 살아 숨 쉬는 듯했다. 완전히 새로운 장소에 온 기분이 들자 다시금 가슴이 두근두근한다. 얼굴을 두 손으로 감싸고 호오- 호오- 불어 온도를 높이며 다시 기운을 내었다.

쉬지 않고 부지런히 걸어간 덕에 일찍 피츠로이 봉우리 전망대(mirador)에 도착했다. 전망대에서는 액자 틀에 씌운 듯 피츠로이 봉우리를 한눈에 볼 수 있다. 하지만 구름인지 안개인지 분간이 잘 안되는 희부연 덩어리 때문에 그 모습을 온전히 보기 어려웠다. 피츠로이 봉우리는 태양이 비추면 불타오르는 것처럼 붉어지는 것으로 유명하다. 그 장면을 보기 위해서 캠핑까지 하는 사람도 있을 정도인데 우리는 차마 캠핑까지는 하지 못하더라도 희부연 덩어리가 걷힌 완전한 봉우리가 나올 때까지 기다리기로 했다.

시간이 지나자 서서히 봉우리가 그 모습을 드러냈다. 나란히 세워져 있는 여러 개의 봉우리는 성난 맹수의 이빨 같아 보이기도 하고 신화 속의 늠름한 영웅들처럼 보이기도 했다. 평화롭고 고요한 산속에서 강렬한 존재감을 보인다.

우리는 다시 묵묵히 한참을 걷다 누군가 먼저 잠시 쉬자고 제안하여 겨우 발걸음을 멈췄다. 자리를 잡고 앉아 어제 슈퍼에서 샀던 간식을 꺼내려는데 오빠들이 내 것도 하나 샀다며 초콜릿바 하나를 불쑥 건네주었다. 생각지도 못한 배려에 놀라고 감동함과 동시에 나도 센스 있게 간식을 더 살 걸 후회가 되었다. 힘든 여행에서는 작은 것에도 쉽게 감동하게 된다. 아니, 작은 게 결코 작은 게 아님을 알게 된다.

우리는 시간이 부족하여 끝까지 오르지 못할 걸 알지만 바로 내려가기는 아쉬워져 갈 수 있는 데까지 더 가보기로 했다. 눈이 엄청나게 쌓여 발이 푹푹 들어가 넘어질 뻔하고 또 신발에도 계속 눈이 들어가 찝찝한 상태가 되었다. 몇 번 털어 내다가 결국 체념할 수밖에 없었는데 동상에 걸리지 않을까 살짝 걱정되었다. 만약 파타고니아에 다시 올 기회가 생긴다면 여름인 12-3월에 와야겠다며 굳게 다짐했다.

결국 우리의 마지막 종착지는 Rio Blanco(하얀 강)가 되었다. 강이 꽁꽁 얼어 쪼르르- 약하게 물이 흘러내려 실망스러웠으나, 욕심내서 계속 올라가다간 위험할 거라 판단되어 여기서 간단히 점심을 먹고 내려가기로 했다. 예상치 못한 런치 박스의 부재로 점심이라기엔 상당히 허술한 스낵을 꺼내 먹을 수밖에 없었지만 말이다. 여기까지 따라온 마리오가 장하여 얼마 없는 간식이지만 나누어 주었다. 마리오는 힘든 기색 없이 맛있게 간식을 먹는다.

하산하면서 산을 오를 때는 어두워서 미처 볼 수 없었던 카프리 호수를 만났다. 하얗게 얼어있는 호수와 산이 어우러져서 절경이었다. 날이 따뜻했더라면 푸른 호수와 초록빛 산등성이가 어우러져 더 멋졌을 텐데 하는 아쉬움이 생겼다. 늘 완벽한 타이밍과 완벽한 장소에 안착할 수 없다는 걸 알면서도 말이다.

조금 더 내려가자 깜짝 놀랄 정도로 엄청나게 큰 부엘타스 강줄기와 협곡이 나타났다. 저 멀리 지평선이 보일 정도로 뻥 뚫려있다. 강은 부드러운 곡선을 그리며 시야가 닿지 않는 산골짜기 사이로 굽이굽이 흘러간다.

어둠 속 눈길을 비틀거리며 고군분투하며 나아가고 있을 때는 이런 멋진 장면이 바로 옆에 있을 줄은 상상도 하지 못했다. 찬란히 내리쬐는 햇빛 아래 빙하의 푸른빛을 간직한 강이 흐르는 모습을 가만히 지켜보았다. 저 너머에는 내가 모르는 또 다른 세상이 있겠지?

불과 몇 개월 전에는 상상도 못 했던 피츠로이의 멋진 경관을 눈앞에서 보고서도 만족하지 못하고 또 다른 세상을 꿈꾸는 건 욕심인지도 모르겠다. 미처 보지 못하고 지나간 것들, 그리고 차마 도달하지 못해 두 눈으로 볼 수 없는 것들이 세상에 가득하다고 생각하니 기분이 이상하다. 생은 너무나도 짧고 모든 걸 내 손안에 쥘 수 없다. 앞으로 나아갈 수 없게 만드는 건 발목까지 쌓인 눈뿐만은 아니니까.

다시 돌아오지 못하고 사진으로 추억할 수밖에 없는 이곳을 혼자가 아닌 누군가와 함께할 수 있다는 게 참 감사하게 느껴진다. 여기 이 자리에 서 있는 나를 기억하는 존재가 나 말고 또 존재한다는 게 큰 위안이 될 줄이야. 문득 이런 생각이 들자 나 역시 그때 그들의 모습을 잊지 않고 계속 기억해야겠다고 다짐하게 된다.

평화로운 설산의 분위기

귀여운 마리오~~

굽이굽이 흐르는 부엘타스 강줄기와 협곡

아직 어두컴컴한 새벽
우리를 쫓아온 마리오!
어쩌지?!
집으로 가!
훠이~
저 멀리서 보이는
멋진 피츠로이 봉우리!
우와~!
찰칵!
얼마 없는 간식이지만
다같이 맛있게 냠냠~
귀여워~

후지 여관

1

어린 시절 평생을 아파트에서 살아온 나임에도 이상하게 아파트에 사는 내 모습이 상상이 잘 가지 않는다. 서울 아파트 가격이 어마어마하다는 걸 떠나서라도 앞으로 평생 살 곳은 아파트는 아니라는 확신이 점점 들고 있다. 유튜브의 알고리즘으로 전원주택을 예쁘게 꾸리는 사람들을 봐서 그런 건가 싶기도 하지만 그것만으로는 설명하기 어렵다.

내가 상상하는 집을 머릿속에 그릴수록 그 분위기나 느낌이 묘하게 어떤 곳을 계속 떠오르게 한다.

칼라파테, 후지 여관.

쌀쌀한 겨울의 정경, 차분한 동네 사람들, 늑대처럼 커다란 길개들의 무리, 띄엄띄엄 적당한 거리로 떨어진 작은집들, 조금 더 걸어 나가면 플라밍고 떼들이 유유자적하게 휴식을 취하고 있고, 자동차를 타고 바다 가까이 달려가면 거대한 모레노 빙하를 마주할 수 있는 작은 마을 칼라파테. 그 속에는 내가 정말 애정하는 후지 여관이 있다.

'후지 여관'이라는 이름을 처음 듣는다면 일본 후지산 아래 위치한 작고 오래된 여관을 상상하기 쉽다. 실제로 이 호스텔이 아르헨티나 남부 끝자락인 칼라파테에 있다는 것을 제외하고는 상상한 모습과 크게 다르지 않다.

나무로 된 지붕에는 후지산이 그려져 있는 작은 팻말이 붙어 있고 벽면은 시멘트처럼 단단한 소재에 톤 다운된 녹색(쑥색) 페인트가 매끈하게 발려져 있다. 문을 열고 안으로 들어가면 인디핑크 톤으로 페인트칠 된 벽과 나무로 된 벽면이 적절히 어우러져 한층 따스함이 느껴진다. 낮은 원목 가구, 아기자기한 집기, 일본어로 된 책들을 보면 어느 일본 영화에서 본 것 같은 소박하고 단출한 집이다. 이쯤 되면 여기가 남미인지 일본인지 헷갈린다.

후지 여관에서 매니저 일을 하게 된다는 게 확정된 순간 나의 여행은 이곳을 향하는 여정이라 해도 과언은 아닐 거다. 여행경비를 줄이려는 방편으로 우연히 찾게 된 일이었지만 모집 공고 끝자락의 한 글귀를 보자마자 이곳에서의 생활을 꿈꾸지 않을 수 없었다.

칼라파테의 겨울은 길고 매우 평화롭습니다. 봄부터 가을까지 사람들을 괴롭히는 혹한 바람도 없고요 글을 쓰시는 분이거나 조용한 것을 좋아하는 분에게는 최고의 기회가 될 것입니다.

이 글은 내 마음을 순식간에 사로잡기에 충분했다. 게다가 왠지 모를 신비함까지 느껴지는 후지 여관 사진을 보자 심장이 두근거렸다. 가본 적도 없는 이곳을 그리워하며 남미를 떠돌았다. 103일간의 남미 배낭여행은 7월의 끝자락 후지 여관에 안착하면서 잠시 멈추었다.

2

후지 여관은 일본인 사장님과 한국인 사모님이 운영하고 있으며 매니저는 나 하나뿐이다. 4인 도미토리 두 개와 싱글룸 하나로 이루어진 작은 호스텔에는 그리 손이 많이 필요하지 않다. 사장님과 사모님은 평일 낮에는 시내에서 '후지산'이라는 초밥집을 운영하시기 때문에 혼자 손님을 맞이하고 응대한다.

혼자라도 호스텔을 운영하는 데는 큰 문제가 되지 않는다. 찬 바람 부는 7~8월의 아르헨티나는 비수기이고 이곳은 한국인과 일본인 여행자의 입소문만으로 오는 곳이기에 감당하기 힘들 정도로 손님이 우르르 몰릴 일은 없다.

후지 여관 매니저의 주요 업무는 크게 청소, 손님 응대, 고양이 밥 주기 세 가지로 나뉜다. 손님에게 숙박비를 받거나 환전해 주는 중요한 일은 일본어와 한국어가 모두 능통하신 사모님이 도맡아 하시기에 나머지 잡다한 일은 내 몫이다. 그 대가로는 무료 숙박과 겨울을 날 수 있는 식사 세끼를 제공 받는다. 떠돌이 여행자에게 아주 합리적인 편이다.

비록 도미토리 침대를 쓰긴 하나 100여 일 동안 낯선 사람들과

숙식을 함께한 터라 그런 것에 전혀 개의치 않게 되었다. 오히려 좋은 자리를 선점할 수 있다는 것만으로도 충분했다.

내 침대는 커다란 창문이 바로 옆에 있어 칼라파테의 겨울 정경을 구경할 수 있고, 머리맡에는 온열 기구가 있어 24시간 온기가 유지된다. 여유로운 낮엔 두툼한 이불속에 쏙 들어가서 쉬거나, 밤이 깊어질 때까지 함께 방을 쓰는 손님들과 이야기를 나누다 잠드는 소소한 일상을 보냈다.

식사로는 정갈한 밑반찬과 연어덮밥 같은 소소한 집밥을 사장님과 사모님과 함께 먹었는데 그 때문에 손님들에게 이 집의 딸이 아니냐는 오해를 받기도 했다. 웃으면서 아니라고 손사래 쳤지만, 그런 이야기를 들으면 괜스레 기분이 좋았다. 내가 너무나도 좋아하는 이곳 후지 여관과 꼭 어울리는 사람이 된 것만 같았으니까.

배낭여행을 하며 여러 숙소에서 거쳐 간 결과 호스텔에서 가장 중요한 것은 '청결'이라는 결론이 내려졌다. 손님이 떠나면 뽀송뽀송한 새 이불보와 이불로 바꾸고 베개 커버도 빳빳한 것으로 새로 갈아 끼운다. 화장실을 청결하게 유지하기 위해 항상 물기를 닦고 머리카락이 한 올이라도 눈에 띌까 봐 늘 확인하고 곧바로 치운다.

늘 부지런히 청소해서 호스텔이 깔끔하게 유지되기도 했지만, 사실 손님이 적기도 하고, 무엇보다 내가 매일 아침 청소를 하는 걸 아는 마음씨 좋은 여행자들이 숙소를 깔끔하게 이용해 주어 훨씬 덜 수고스러울 수 있었다. 아침에 한두 시간 청소하는 데 시간을 할애하고 나면 나머지 시간은 아주 자유롭게 사용할 수 있다.

무엇보다 가장 고민되었던 부분은 '붙임성 있는 매니저가 될 수 있는지' 여부였다. 낯선 곳에 도착하여 새로운 호스텔에 자리를 잡을 때 매니저가 먼저 다가와 인사해 주고 몇 마디라도 주고받게 되면 긴장이 스르르 풀린다. 그 한 사람으로 인해 호스텔에 대한 인상도 아주 좋게 남게 되며, 호스텔은 낯선 장소에서 임시 보금자리 정도로 자연스레 격상된다.

여행 초기의 우려와는 달리 긴 여행을 하면서 새로운 사람과 만나는 것이 어렵지 않게 된 나는 사람들에게 먼저 다가갈 수 있게 되었다. 그렇다고 갑자기 인싸가 되어 주도적으로 대화를 끌어 나갈 수 있는 건 아니지만 말이다.

새로운 손님이 오면 어디서 왔는지, 일행이 있다면 어떤 관계인지, 얼마나 오래 여행했는지, 앞으로 여행 계획이 어떻게 되는지와 같은 특별한 것 없는 평범한 이야기를 한다. 상대방의 속도에 맞춰 나 역시 지금껏 어떻게 여행했는지, 어쩌다 여기까지 흘러오게 되었는지 자연스레 오픈하게 되는데 그렇게 되면 서로의 처지를 충분히 알게 되어 한층 가까워진다.

어쩌다 마음이 잘 맞는 손님을 만나면(주로 혼자 온 여행자와) 같이 응접실이나 부엌 테이블에서 이야기를 나누거나 마을 주변을 산책하고, 나아가 같이 장을 봐서 요리해 먹기도 한다. 나는 곧잘 손님들을 데리고 시내에 있는 아이스크림 가게로 나가는데, 아이스크림을 무척 좋아해서이기도 하지만 무엇보다 이곳에서 아이스크림을 먹으면 다시 칼라파테에 돌아온다는 전설이 있기 때문이다. 만약 먼 훗날 이들이 이곳에 다시 돌아온다면 함께 아이스크림을 먹었던 나를 기억해 줄까?

후지 여관에 묵은 여행자의 다음 루트는 주로 세상의 끝이라 불리는 우수아이아이다. 주로 새벽 3시에 우수아이아행 버스가 있어서 2시 반까지 뜬눈으로 함께 기다린다. 대개 정이 든 다른 여행자들도 함께 기다려 준다.

손님의 체류 기간은 보통 2~3일밖에 되지 않아 만남은 너무나도 짧다. 처음에 어색한 인사로 맞이한 게 얼마 안 되었는데 이렇게 보내게 되는 마음은 매번 아쉬움으로 가득 찬다.

기약 없는 만남에 넘쳐흐르는 아쉬움을 꾹꾹 눌러 담으며 "Adios! (잘 가!)"하고 더욱 밝게 인사해 보인다. 동시에 마음속 깊숙이 그들의 여행에 행운을 빌어준다. 그리고 언젠가 어디에서든 다시 만날 수 있길 작게 욕심내 본다.

3

마지막으로 무엇보다 중요한 업무는 마당냥이의 매끼 식사를 챙겨주는 것이라 할 수 있겠다. 후지 여관의 마당냥이는 총 11마리 대식구이다.

이들은 각자 마을을 배회하다가도 자유롭게 마당을 드나들며 생활한다. 고양이들은 내가 밥을 챙겨주는 사람이라는 걸 인식한 뒤로는 찬장에 있는 사료에 손을 올리기만 해도 창문에 붙어 미야옹- 미야옹- 높은 하이톤의 소리를 내며 울어댄다. 그 모습이 꼬마들이 합창하는 것처럼 무척 귀여워 흐뭇한 표정으로 잠시 지켜보다가 바깥으로 나간다.

주방 뒷문을 열고 계단을 내려가면 널찍한 마당이 나온다. 바닥에 일렬로 사료를 쭉- 부어주면 제각기 마당에서 각자 뒹굴뒹굴 노닐던 고양이들이 먹이 주위로 옹기종기 모인다. 찹찹- 맛있게 먹이를 먹는 모습에 저절로 웃음이 나온다.

통통하게 살이 오른 고양이들 사이에 가죽밖에 없는 고양이 빼빼는 무리에 끼지 못하고 늘 서성거린다. 그래서 다른 고양이들의 눈을 피해 빼빼를 저 멀리 따로 데려와 먹이를 챙겨줄 수밖에 없다. 뒤늦게 사모님으로부터 빼빼가 이 오동통한 고양이들의 어미 고양이라는 사실을 듣고는 어찌나 놀랐는지.

4

"매니저님-"이라는 호칭은 언제 들어도 어색하지만, 이상하게도 그 단어는 책임감을 잔뜩 실어준다. 튀지 않고 조용히 사람들 속에 모습을 감추려는 나의 본성을 거스르고 싹싹한 사람으로 휘리릭 탈바꿈하게 만든다. 물론 내 선에서 싹싹한 것과 다른 사람이 생각하는 싹싹함은 거리가 있을 거다. 어쩌면 싹싹함의 평균치에서 한참 못 미칠지도 모르겠다.

하지만 잦은 후회나 자책하는 나조차 후지 여관 매니저 일 만큼은 미련 없이 최선을 다했다고 말할 수 있다. 후지 여관을 찾는 손님들이 편히 쉬다 갈 수 있도록 청결을 유지하기 위해 매일 쓸고 닦았고, 용기 내어 먼저 다가가 무언가 필요한 게 없는지 다시 확인했다. 그리고 무엇보다 진심을 다하려 노력하는 나날들을 보냈다.

아르헨티나 칼라파테
25일간의 후지여관 매니저 생활
후지여관 매니저의 특권! 숙식 제공
일본인 사장님과 한국인 사모님과 함께
맛있는 가정식 삼시 세끼!
4인 도미토리지만
난방기 바로아래
따뜻한 침대 자리 선점!
매니저 업무는 크게 세 가지 파트로 나뉘는데…
* 첫째 : 청소
바닥 쓸고 닦기, 화장실 물기 정리,
공동공간 정리정돈, 빨래 널기 등
아침시간 한두 시간만 할애하면 금방 끝!
+
새로운 손님이 오면
깨끗한 베개커버, 이불, 이불보로 바꾼다.
* 둘째 : 손님 응대
어서오세요~
정중히 맞이하고~
칼라파테 아이스크림 가게에
데려 가고~
(이곳 아이스크림을 먹으면
다시 돌아오게 된다는 전설이 있다)
아쉬운 마음으로 배웅한다..
(주로 새벽에 공항 버스가 와서
비몽사몽한 상태이다)
* 마지막으로 가장 중요한 업무는 ~?
촤르르르
마당냥이 11마리 밥 챙겨주기!
사료에 손안 대도 반짝이는 눈으로 나는 바라본다.
SALIDA
미야
미야옹
우야옹
귀.. 귀여워!

그토록 다정했던 날들을
어떻게 잊을 수 있을까?

응접실에 흐트러진 물건들을 착착 정리할 때, 새로운 손님이 왔을 때 슬그머니 다가가 매니저라고 소개할 때, 막 세탁을 마친 이불보를 탈탈 털어 뒷마당에 널 때 너무나도 자연스럽게 매니저 역할을 수행하는 스스로를 의식하게 되면 기분이 묘해진다. 그럴 땐 이게 정말 본모습이 아닐까 하는 착각이 든다. 매니저 역할을 꽤 잘해 내었고 적성에도 맞았다.

항상 떠나는 입장에서 떠나보내는 입장이 되니 기분이 이상하다. 이들이 떠나는 순간 후지 여관은 추억이 된다. 동시에 나 역시 겹겹이 쌓이는 추억 속 아주 작은 존재로 남아 있겠지.

과연 나는 어떤 매니저로 기억될까? 어느 날 문득 남미 여행을 떠올려 볼 때, 그러다 칼라파테의 후지 여관이 떠오른다면 '아, 거기 매니저분이 참 친절했었단 말이지~'라고 생각해주길 바라는데, 역시나 이건 엄청나게 큰 욕심인 것 같다. 비록 나를 기억하지 못하더라도 후지 여관만은 따뜻하게 기억해 주길 바라는 정도로만 욕심을 내야겠다.

5

매니저 공고문에 있던 글 그대로 칼라파테 겨울은 정말로 평화로웠다. 마을은 쓸쓸하고 황량했지만 후지 여관 안에서만큼은 사람들과 고양이들 속에 섞여 포근하게 쉴 수 있었다. 그 중심에 있을 수 있던 걸 진심으로 행운이라 생각한다. 내가 손님들이 편히 쉬다 갈 수 있게 도운 게 아니라 오히려 오랜 배낭여행으로 지친 내 마음을 기대고 아주 푹 쉬었다고 생각할 만큼 감사했던 나날이었다.

'어떻게 해서 나라는 사람이 호스텔 매니저 역할을 잘할 수 있었을까?'라고 곰곰이 생각해 보았을 때, 그건 후지 여관의 따스한 분위기와 꼭 맞는 사람이 되려 노력했기 때문이다.

번잡한 세상 속에서 사람들을 대하는 게 힘들 때면 종종 생각한다. '후지 여관 매니저 시절처럼 살 수 있다면 얼마나 좋을까?'라고. 그렇게 된다면 밀려 들어오고 떠나가는 많은 사람을 기꺼이 반기고 배웅할 수 있을 텐데. 그런 삶은 잔잔한 물 위에 떠 있는 깃털처럼 가볍고 평온할 거다. 아마 그렇게 되는 건 너무나도 어려운 일이겠지.

후지 여관 매니저 시절은 추운 겨울 포근한 침구에 몸을 맡기고 스르르 잠들었을 때 꿨을 법한 아주 달콤한 꿈처럼 느껴진다.

꿈결처럼 내 마음은 늘 후지 여관을 그리워하고 애정 하면서
그곳에 닿기를 바란다.

그리운 후지여관 정경

옹기종기 귀여운 고양이~

길거리를 배회하는 길개 무리

이 삶의 끝엔 죽음이 있지만

1

정열과 낭만의 도시라고 불리는 부에노스아이레스는 아르헨티나의 수도답게 볼거리가 넘쳐난다.

줄지어 서 있는 건물과 발아래 바닥이 모두 알록달록 예쁘게 칠해진 라보카 구역과 대통령궁, 대성당, 로댕의 생각하는 사람 동상이 있는 5월 광장, 사람들이 늘 북적거리는 메인인 플로리다 거리, 세상에서 아름다운 서점 중 하나인 엘 아테네오 서점, 로맨틱한 탱고 무대를 볼 수 있는 역사 깊은 카페 또르또니까지.

하지만 부에노스아이레스의 활기와 생명력을 물씬 느낄 수 있는 곳보다는 이상하게도 차분하게 가라앉은 분위기의 레콜레타 묘지가 가장 인상 깊게 마음속에 자리 잡고 있다.

2

구름 한 점 없는 깨끗한 하늘 아래 겨울의 차가운 공기가 고요히 이곳을 감싼다. 바로 옆에 죽은 자가 누워 있다고 생각하니 기분이 묘하다. 혼자 부에노스아이레스 거리를 산책하다가 우연히 이곳에 발을 들였다면 공동묘지라고 감히 상상이나 했을까? 잘 관리된 정원 혹은 조각공원 정도로만 생각했을 거다.

칼라파테 공항에서 만난 뉴저지 목사님 덕에 지금의 부에노스아이레스 투어에 함께 합류할 수 있었다. 공항에서 숙소까지 태워주신 것도 모자라 다음날 투어를 위해 픽업까지 해주시는 호의를 베풀어주셨다. 여행에서 만난 어른들은 젊은이에게 아낌없는 호의를 보내주신다. 따뜻한 응원의 눈길도 한 움큼 곁들여서. 여행 초반에는 이런 것들이 부담이었으나, 나 역시 그대로 담아두지 않고 어디론가 흘려보낼 수도 있다고 생각하고 나서야 조금 가벼워졌다.

레콜레타 묘지는 아르헨티나를 대표하는 대통령, 노벨상 수상자, 작가 등을 비롯한 저명인사들이 묻힌 묘지이다. 이곳에 터를 얻으려면 수억 원의 돈이 든다고 하니 살아 있을 때 이들의 명성이 얼마나 대단했을지 짐작해 볼 수 있다.

작은 십자가들이 하늘 높이 솟아 있고 곳곳에 천사상이 있는 걸 보니 작은 교회나 성당처럼 보이기도 하다. 어디선가 사후 저택이라는 글을 본 기억이 나는데 아주 적절한 표현이다.

부자 동네를 축소해 놓은 듯 일렬로 나란히 줄지어져 있는 묘지와 그 화려한 조각을 보니 눈이 휘둥그레진다. 똑똑하고 문을 두드리면 드레스 혹은 턱시도를 입은 귀족이 점잔빼며 나올 것처럼 하나같이 고풍스럽다. 밤이 찾아오면 이곳의 영혼들이 하나둘씩 나와 그들만의 무도회를 열 것만 같다.

간혹 어떤 묘지에는 주인의 흉상 혹은 전신상이 있기도 해서 그제야 바로 아래 이분의 시신이 놓여 있다는 게 실감이 났다. 그 순간 이곳에서 여유롭게 산책하고 사진을 찍는 게 불경하게 느껴졌다. 묘지가 구경거리가 되는 아이러니라니.

레콜레타 묘지는 여러 구획으로 나뉘어 있을 정도로 면적이 커서 길을 잃지 않으려면 정신을 똑바로 차려야 한다. 아무 생각 없이 걷다 보면 사람이 뚝 끊기는 길목에 혼자 서있기 일쑤이다. 아무리 멋진 건축물 같다고 하더라도 홀로 묘지 사이 좁다란 길에 갇혀있으면 이상한 기분이 든다.

죽음 사이에 끼어 있는 느낌이랄까? 죽음이 턱밑까지 성큼 다가온 기분이다. 모퉁이만 돌면 생명을 감지할 수 있음에도 얼어붙은 것처럼 쉽게 앞으로 나아가지 못하고 멈추어 섰다. 그러면 그 그림자는 더는 타인의 것만은 아니다.

이곳에 온 관광객의 90퍼센트는 에비타 묘지를 보기 위해 왔다고 해도 과언이 아니다. 수많은 묘지 중에서 에비타 묘지를 찾는 게 쉽지는 않다. 하지만 빙글빙글 이곳을 헤매다 운 좋게 그 구역으로 들어선다면 단박에 에비타의 묘지를 알아볼 수 있다.

우뚝 솟아 있는 검은 대리석 묘지가 십자가 문양이 그려져 있는 철문으로 굳건히 닫혀 있다. 마치 고급 저택의 대문 앞에 선 듯 위압감이 느껴진다. 대부분 묘지가 흰색 혹은 회색이기 때문에 더욱 눈에 띄었다. 철문 사이사이에는 누군가 금방 두고 떠난 듯 생기 넘치는 꽃들이 꽂혀있다.

에비타는 영부인 에바 페론의 애칭이다. 그녀는 가난한 무용수에서 영부인의 자리까지 올라와 노동자와 여자를 위해 일했다. 당시 양극화가 심했던 아르헨티나의 중산층을 두텁게 하는 공을 세웠다는 호평을 받는다. 물론 한쪽에서는 그녀가 포퓰리스트라고 비난

하기도 하지만 말이다. 그녀를 두고 여러 의견이 분분하지만, 지금까지도 이렇게 많은 사람이 찾아와 꽃을 두고 가는 걸 보니 그녀가 여전히 사랑받는 사람이라는 건 변함없는 것 같다.

3

에비타 묘지만큼, 아니 그녀의 묘지보다 더 인상 깊게 본 묘지가 있다.

가이드 집사님이 한 묘지 앞에 발걸음을 멈추어 섰다. 다른 묘지들과는 다르게 높이 세워진 전신 동상이다. 무표정에 강직해 보이는 이 묘지의 주인은 한 손에 책을 쥐고 있다.

그는 아르헨티나 공화국 최초의 헌법을 만든 정치가 후안 바우티스타 알베르디아더 이다. 비록 망명 생활을 하셔서 시신을 찾지 못했지만 헌법 제정에 크게 기여한 그를 기리기 위해 이곳에 묘지를 마련했다고 한다. 그는 부에노스아이레스의 법대 시절을 함께 한 다섯 친구와 미래에 정권을 잡으면 어떻게 정치를 할 것인가에 관해 토론하며 꿈을 키웠고, 그것을 마침내 실현했다고 한다.

생기 넘치는 볼을 가진 야망 있는 젊은 청년의 모습과 쓸쓸히 죽어가는 노인의 모습이 동시에 그려져 숙연한 마음이 든다. "말년이 좋아야지. 젊을 때 잘 나가는 건 아무 소용이 없어."라고 말하는 사람들이 있다.

글쎄, 이렇게 한순간이라도 자신의 인생에서 뜨거운 불꽃을 태운 적이 있다면 그런 건 아무런 상관이 없을뿐더러 그 인생을 함부로 이야기할 수 없다.

가문이 몰락하면서 관리가 안 된 묘지와 여전히 사람의 손길이 닿아 반들반들 잘 닦여 있는 묘지는 한눈에 구분할 수 있다. 사후에서도 자본주의의 논리가 적용된다는 사실이 씁쓸하다. 하지만 묘지가 피라미드나 타지마할처럼 엄청나게 화려하고 거대할지언정 죽는다면, 자신의 존재가 이 세상에 없다면 이 모든 게 무슨 소용일까. 그곳에 누워있는 사람이 정말 부럽다고 생각할 리 만무하다.

누군가 멋진 묘지로 나를 기린다면 그것 나름대로도 감사한 일이겠지만 결코 내가 먼저 나서서 무덤을 멋지게 장식하고 꾸려달라고는 하지 않을 거다.

그들이 얼마나 멋진 묘지에 잠들어 있는가와는 전혀 관계없이 오로지 그들이 살아생전 세상 여기저기를 누비며 자신이 믿었던 것을 하나씩 현실로 만들어 낸 열정을 찬양할 뿐이다. 그들이 눈을 감기 전 떠올릴 법한 장면들을 나 역시 살아보고 싶다. 엄청난 업적을 이루고 싶다기보다는 어떤 찬란한 순간을 맛보고 싶달까? 그런 뜨거운 삶을 살았다면 묘지의 형태가 어떤지는 전혀 중요하지 않다.

어린 날들이 지나고 점점 죽음을 향해 한 걸음 한 걸음 걸어가고 있다. 아니, 어쩌면 바로 등 뒤에 슬그머니 다가와 "왁!"하고 놀라게 할지도 모른다. 광활한 우주 속 아주 작은 존재인 내가 어느 한 순간 세상에서 사라지는 건 별일 아니라고 생각되다가도, 그날을 떠올리면 오싹해진다. 내가 이 세상에 존재하고 있었다는 걸 아무도 모르는 건 둘째 치고 나조차도 의식하지 못하겠지?

그렇다면 나의 영혼은 어디로 갈까?

영화 속에서 보던 것처럼 빛이 환하게 쏟아지는 문으로 들어갈지, 천사들이 분주하게 일하는 새하얀 마을에 있을지, 온 사방이 컴컴한 진공 속에 있을지 도저히 알 수 없다(알고 싶지 않기도 하고).

소중한 순간을 이렇게 기록하는 건 생에 대한 아쉬움과 죽음에 대한 두려움 때문이겠지. 그 끝을 마주하는 날이 온다면 얼마나 아쉬워질까. 뜨겁게 불타오르는 삶도, 잔잔히 흐르는 삶도, 홀로 채우는 시간도 함께 보내는 시간도 모두.

그럼에도 이 모든 것을 담담히 받아들일 수 있길.

마음을 숙연하게 만드는 요지

해골 신사가
나온 것만 같아!
안녕하세요옹~
꺅!
얼음!
왠지 오싹한 기운이...

하지만 나 역시 언젠가
죽음에 이르게 되겠지?
그리 먼 일은 아닌지도!

끝 그리고 시작

'이구아수 폭포에 가면 내 여행이 끝나는 거야.'

라고 생각했던 게 얼마 안 된 것 같은데 내 눈앞에는 쏴아아 - 굉음을 내며 쏟아져 내리는 거대한 물줄기가 있다. 나이아가라와 빅토리아 폭포와 함께 세계 3대 폭포인 만큼 주변에는 시끌벅적 관광객들로 가득 차 있다.

고개를 쑥 내밀어 아래를 내려다보니 배를 타고 폭포 가까이 다가가는 투어에 참여한 사람들이 보인다. 아슬아슬하게 폭포수가 떨어지는 곳까지 부와앙- 내달려 가고 있는 걸 보니 나까지 아찔해진다. 물론 안전하게 구명조끼를 착용하고 있지만 말이다. 상기된 사람들의 흥분한 목소리와 즐거운 웃음소리가 이렇게 멀리까지도 생생히 들려온다. 여기저기서 찰칵찰칵 셔터를 누른다.

이토록 멋진 광경을 보고도 우리 집의 포근한 침대에 몸을 던지는 상상을 할 뿐이다. 관광지 특유의 격양된 분위기 속에 혼자 먹구름 낀 듯한 표정으로. 하필 햇볕이 뜨겁게 내리쬐는 날씨에 검은색 긴팔 옷을 입은 터라 몸에 열이 한껏 올랐고 얼굴은 더욱 칙칙

해 보인다. 이렇게 좋은 날 웃어보자고 마음을 아무리 다잡고 입꼬리를 올리려 해도 요지부동이다.

엄청난 크기를 자랑하는 남미는 뭐든 스케일이 남다르다. 남미이기 때문에 이 정도 규모의 폭포를 품고 있을 수 있는 거겠지. 우물 안 개구리인 내가 안간힘을 다해 폴짝폴짝 뛰며 오랜 기간을 떠돌았으니 몸도 마음도 지쳐 놀랄 힘도, 들떠서 사진을 찍어 댈 힘도 남아 있지 않은 게 당연하다.

여행 마지막 날짜에 맞춰 완전히 충전해 놓은 배터리가 방전되어 꺼지기 직전인 마냥 깜빡깜빡 거린다. 끝을 알고 하는 여행의 단점이랄까? 브라질에서는 몇 퍼센트를 쓰고, 페루에서는 몇 퍼센트를 써야겠다는 식으로 정해놓지 않았지만, 서서히 배터리는 닳아가고 있었다. 애써 충전되고 있다며 스스로 북돋아도 소용없다. 남미의 뜨거운 태양광만으로도 충전이 되었다면 늘 풀 배터리로 마지막까지 쌩쌩 날아다녔을 텐데.

솔직히 말하자면(아니 굳이 꼭 짚고 넘어가지 않아도) 나에게 정말 무리인 여행이었다. 국내와 해외를 통틀어 첫 배낭여행으로 남미에 왔다니. 그건 여행 도중에도 몇 번씩이나 그리고 여행이 끝나는 이 시점에 와서까지도 여전히 갸우뚱할 수밖에 없는 일이다. 과분한 여행이니 더 넘치게 나를 몰아붙일 수밖에 없었다. 분에 넘치는 이상형을 만났다면 온갖 정성을 다해야 하는 것처럼. 온 마음과 에너지를 쏟아부어도 버거웠다. 그리고 마침내 이렇게 그로기 상태가 된 거다.

주변의 온갖 소음들이 섞여 위잉 위잉- 괴롭히는 탓에 정신이 몽롱하다. 저마다 재잘거리는 목소리도 뭉뚱그려져 웅웅- 거릴 뿐이다. 시원한 바람에 땀이 식으며 점점 노곤해진다. 나무로 된 단단한 바리케이드에 축 처진 몸을 편히 기대 본다. 내려앉은 눈꼬리로 폭포를 응시한다. 쏴아아- 쉼 없이 떨어지는 물줄기를 바라본다. 눈이 점점 내려앉으려 한다.

깜빡.. 깜빡...

'그래, 역시 오길 잘했지.'라며 고개를 작게 끄덕인다.
입으로 내뱉었는지 속으로 생각했는지 모르겠다.

거대한 무지개가 폭포를 감싸듯이 선명하게 내려와 있다. 무사히 계주를 완주한 선수에게 폭죽을 터뜨리며 축하하듯이, 새로운 삶의 여정을 마주한 젊은 여행자의 앞날을 축복하듯이.

'아, 정말 내 여행이 끝났구나.'

25

Adios, 남미..!

Epilogue

당신에게도 잊지 못할 여행이 있나요?

여행을 기억한다는 것은…

그때와 지금의 나는 무엇이 달라졌을까.

어느 연속선상에 서 있는 것 같기도 하면서 완전히 단절된 다른 차원의 사람이 된 듯한 묘한 기분이다. 이런 혼선이 생기는 건 그만큼 세월이 많이 흘렀다는 걸 의미하겠지. 시간 앞에서는 모든 게 평등해진다. 누구도 피해 갈 수 없듯이 나 역시 세월의 흐름을 논할 나이가 되어가고 있다(누군가는 "저 어린것이 쯔쯧-"하고 혀를 찰지 모르겠지만).

그건 달가운 일은 아니나 내 마음은 이상하리만치 고요하다. 이제야 정말 괜찮아졌는지 모른다. 돌이킬 수 없는 것은 뒤돌아보며 아쉬워하지 않게 되었다. 젊음뿐만 아니라 추억, 실수, 사람, 기회 모든 걸 포함해서 말이다.

차곡차곡 쌓아온 남미 여행 에세이를 한 편씩 찬찬히 읽어보았다. 당시에 썼던 일기를 보았을 때의 마음과는 확연히 다르다. 남의 일기를 훔쳐보는 듯한 서러움은 어느 순간 눈 녹듯 사라졌다. 대신 그 자리에는 따뜻한 온기가 자리 잡는다. 여행을 정리하기 전에는 내가 이만큼이나 남미 배낭여행을 애정하는지 알지 못했다. 그저 그리움 덩어리인지도 모른다고 생각했으니까.

물론 무척이나 그리워져 가끔 돌아가고 싶다고 생각할 때가 있다. 만약 타임머신이 있다면 당장 작동시켜 다시 온전히 그 순간을 느끼고 싶을 정도로. 그러나 영원히 그곳에 머무르고 싶다거나 다시 새롭게 시작하고 싶은 건 아니다. 그렇게 한들 더 행복해질 수 없다는 걸 너무나도 잘 알고 있으니까(물론 다시 여행하기엔 너무 힘들어서이기도 하지만).

모든 걸 느끼기엔 어린 나이였다. 지금 남미로 떠난다면 나만의 생각이나 감정에 갇혀있기보다는 더 큰 세상을 여유롭게 담을 수 있을 거다. 그렇다면 좀 더 가벼울 수 있을 텐데. 물론 지금도 여전히 많은 게 어렵고, 알 수 없는 미래에 머리가 지끈거릴 때가 있지만 그때처럼 그 과정을 견디지 못해 괴로워하지 않는다. 이제 나에게는 삶에서 주어지는 무게를 견딜만한 충분한 힘이 생겼다.

누구나 거쳐 가는 20대, 그 혼란한 시기에 떠날 수 있어 무척 다행이다. 자신의 존재에 대해 의심하고 두려워하며 외롭게 방황했다. 그 밑바닥까지 느껴지는 감정과 고통을 담아주었던 곳이 남미라서 정말 다행이다. 모든 걸 혼자 결정하고, 해내고, 견디고 또 인내하던 나날들로 인해 그제야 인생의 다음 단계로 나아갈 수 있는 내가 되었다.

남미 여행의 기억이, 그때 부딪히며 배웠던 것들이 지금의 나를 만들어 주었다. 그리고 의심의 여지 없이 앞으로도 계속해서 큰 영향을 미칠 거다.

로라이마 산 정상에는 크리스탈이 가득하다.

훈장처럼 크리스탈을 몰래 가져오고 싶다는 생각을 잠시 했으나 금방 단념했다. 만약 그때 크리스탈을 가져왔더라면 점점 빛바래지다가 결국 얼마 못 가 꺼내 보지도 않았을 거다. 더 이상 찾아보지 않는 남미 여행 사진처럼, 또 연락이 끊긴 친구들처럼. 하지만 지금 산 정상에 남아 있는 크리스탈은 여전히 반짝반짝 빛나며 자신을 보러 올 다음 여행자를 기다리고 있다.

어떤 것은 그대로 둬야 한다. 그저 애정 어린 시선으로 바라보는 것만으로도 충분하다.

이 여행 에세이는 오래전의 내가 지금의 나를 응원하는 편지처럼 느껴진다. 이런 내가 존재했었고, 여전히 존재한다는 걸 잊지 말라고 말해주는 것만 같다.

소중한 나의 남미 여행기를 지금,
이 시기에 마무리할 수 있어 참 다행이다.

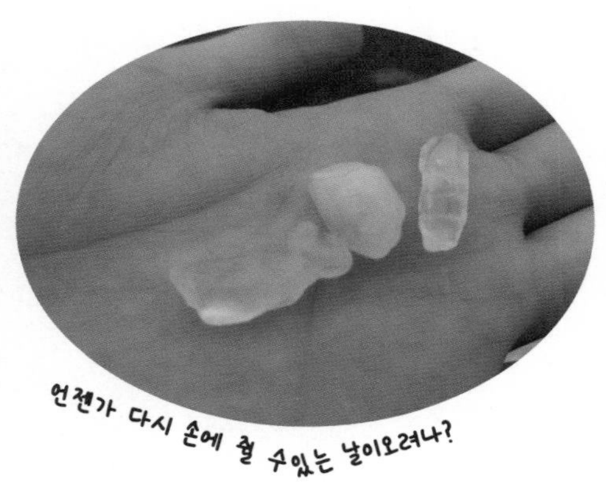

언젠가 다시 손에 쥘 수있는 날이오려나?

남미에 간 이유를 아무도 묻지 않았다

초판 1쇄 2023년 8월 17일

글 · 그림 · 사진 김지현

값 15,000원